海外漢文古醫籍精選叢書・第三輯

2011—2020年國家古籍整理出版規劃項目
2018年度國家古籍整理出版專項經費資助項目
中國中醫科學院「十三五」第一批重點領域科研項目
——我國與「一帶一路」九國醫藥交流史研究（ZZ10-011-1）

蕭永芝◎主編

藥籠本草 壹

〔日〕香月牛山 撰

18

北京科学技术出版社

圖書在版編目（CIP）數據

藥籠本草/蕭永芝主編. —北京：北京科學技術出版社，2019.1
（海外漢文古醫籍精選叢書. 第三輯）
ISBN 978 – 7 – 5714 – 0001 – 9

Ⅰ. ①藥…　Ⅱ. ①蕭…　Ⅲ. ①本草—研究—日本—江户時代　Ⅳ. ①R281.3

中國版本圖書館 CIP 數據核字（2018）第294688號

海外漢文古醫籍精選叢書・第三輯・藥籠本草

主　　編： 蕭永芝
策劃編輯： 李兆弟　侍　偉
責任編輯： 吕　艷　周　珊
責任印製： 李　茗
出 版 人： 曾慶宇
出版發行： 北京科學技術出版社
社　　址： 北京西直門南大街16號
郵政編碼： 100035
電話傳真： 0086–10–66135495（總編室）
0086–10–66113227（發行部）　0086–10–66161952（發行部傳真）
電子信箱： bjkj@bjkjpress.com
網　　址： www.bkydw.cn
經　　銷： 新華書店
印　　刷： 北京虎彩文化傳播有限公司
開　　本： 787mm × 1092mm　1/16
字　　數： 504千字
印　　張： 42
版　　次： 2019年1月第1版
印　　次： 2019年1月第1次印刷
ISBN 978 – 7 – 5714 – 0001 – 9/R・2558

定　　價：1160.00元（全2册）

海外漢文古醫籍精選叢書·第三輯

藥籠本草　壹

〔日〕香月牛山　撰

内容提要

《藥籠本草》是日本江户時代香月牛山編撰的一部本草著作。本書係廣泛參考數十種中國醫藥學文獻，并附以香月牛山的個人見解編撰而成，在藥物炮製、質量鑒别、臨床運用等方面皆有所創新，對研究中日本草學術的交流亦具有較高的價值。

一　作者與成書

《藥籠本草》卷首扉葉刻「牛山香月先生著／藥籠本草……」，自序落款處爲「享保丁未歲晚秋月／貞庵香月啓益牛山甫」，各卷首葉均題署「香月牛山啓益著」，根據以上信息知本書作者爲香月牛山（啓益），成書時間爲日本享保十二年丁未（一七二七）。

香月牛山（一六五六—一七四〇），名則實（則真），字啓益，號牛山，又號貞庵、被髮翁，築前國（今日本福岡縣）人，爲江户時代前期至中期的日本名醫。香月牛山師從著名儒學家、本草學家貝原益軒學習儒學，又跟隨藩醫鶴原玄益學習醫術，三十歲便成爲豐前國中津藩（今日本大分縣中津市）小笠原家族的侍醫。元禄十二年（一六九九），香月牛山辭去侍醫之職，在京都設醫館開業。享保元年（一七一六），再次應招侍於遷至小倉藩（今日本福岡縣北九州市）的小笠原家族。香月牛山爲日本後世方派醫家的代表人物之一，他十分尊崇金元醫家李杲、朱震亨的學術思想，又受到貝原益軒「實證」研究方法的影響，基於自身的醫療經驗提出個人觀點，在臨證治療中常以温補之法爲要。香月牛山的醫學著作主要有《藥籠本草》《牛山方考》《牛山活套》《醫學鈎玄》《活法機法》《卷懷食鏡》《卷懷灸鏡》《老人必要養草》《婦人壽草》《小兒必用養育草》《長命養生訓》《萬里神交》《國字醫叢》《游豐司命録》《螢雪餘話》《國字醫藪》等。

二　主要内容

《藥籠本草》分爲上、中、下三卷，共計收録一百二十條、一百二十五種藥物。所收之藥多屬植物類，香月牛山對載録的藥物并未進一步分類。

上卷收藥二十二條、二十二種，載人參、沙參、黄芪、甘草、白术、蒼术、當歸、芎藭、芍藥、赤芍藥、生地黄、熟地黄、茯苓、赤茯苓、茯神、陳皮、青皮、半夏等。

中卷四十六條、五十種，録防風、羌獨活、葛根、桔梗、枳實、枳殼、白芷、藿香、木香、紫蘇、蘇子、大腹皮、檳榔子、黄芩、黄連、梔子、縮砂、益智、白豆蔻、草豆蔻等。其中羌獨活條附獨活，葛根後附葛花，連翹後附連軺，草豆蔻後附草果。

下卷五十二條、五十三種，載附子、乾薑、良薑、肉桂、沉香、丁香、薄荷、荆芥、香薷、麻黄、細辛、滑石、石膏、大黄、黄蘗、木通、澤瀉、猪苓、車前子、龍膽、知母、秦艽、牛膝、杜仲、威靈仙等，其中乾薑後附有生薑一種。

每種藥物之下，香月牛山引録諸家之説，所載内容包含藥物的氣味、毒性、畏反、歸經、炮製、功效、服用禁忌、質量鑒别、附方等。每引一條，皆在引文前注明出處，如「張路玉《醫通》曰」「薛己曰」「《本草新編》曰」。對某些引文，香月牛山在其後給出自己的觀點。凡作者原創的内容，文前皆以小字注明「啓益」二字。

三 特色與價值

日本醫家在編撰本草書籍時，往往會參考中國本草學著作，香月牛山編撰的《藥籠本草》更是如此，徵引了數十種來自中國的本草類、臨床類著作。但是，香月牛山并不是一味遵從前人之説，而是結合自己的臨床經驗，在藥物炮製、質量鑒别、臨床運用等方面抒發己見，其説在一定程度上促進了日本江户時代本草學的發展。

（一）博采諸家論述，間或附以己見

《藥籠本草》一書旁徵博引諸家文獻，所徵引的書籍包括《神農本草經》，北齊·徐之才《雷公藥對》，唐·李珣《海藥本草》，五代·日華子《日華子本草》，金·張元素《珍珠囊》、李東垣《用藥法象》，元·朱震亨《本草衍義補遺》、王好古《湯液本草》，明·陳嘉謨《本草蒙筌》、李言聞《人參傳》、李時珍《本草綱目》、李中梓《雷公炮製藥性解》、繆仲淳《神農本草經疏》、倪朱謨《本草歸言》、薛己《本草約

言》，清·陳士鐸《本草新編》等本草類古籍；宋·楊士瀛《仁齋直指方論》、陳自明《婦人大全良方》，明·楊起《簡便方》等醫方類著作；明·張介賓《景岳全書》、韓懋《韓氏醫通》，清·張璐《張氏醫通》等綜合類書籍；明·蕭京《軒岐救正論》等醫論類文獻；明·魏直《博愛心鑑》、寇平《全幼心鑑》等臨床類古籍。其中，《日華子本草》《海藥本草》《用藥法象》等書早已亡佚，應爲香月牛山轉引自他書。

如卷之上人參一藥，即摘録了《神農本草經》《本草蒙筌》《人參傳》《本草綱目》《本草新編》《景岳全書》《張氏醫通》等醫藥著作中共計四十五條引文。在某些引文之後，香月牛山提出了自己的觀點。如他引用李言聞關於人參并不會引發痃病的觀點，「言聞曰：雷斆言夏月少使人參，發心痃之病，此説非矣。痃乃臍旁積氣，非心病也。人參能養正，破堅積，豈有發痃之理？觀張仲景治腹中寒氣上衝，有頭足上下痛不可觸近，嘔不能食者，用大建中湯可知矣」。香月牛山認爲，堅積是由於真氣不能運化所致，而人參既有發達之氣勢，自能破堅化積，同樣可以用來治療痃癖之症。牛山指出，「啓益：顧古聖言破痃癖堅積，先哲解之曰真氣不足則不能健行，故成堅積。用之而真陽之氣回，則何堅積有之？蓋人參味甘苦，自有餘味，千草百藥中，未曾有如此備純粹發達之氣勢者……是病者之元氣非虚脱，惟爲穢物所抑鬱而不能運也。猶燈火雖有油有燈心，爲塵垢見抑鬱，則光耀自滅將滅者。方此時也，以引火奴發揚之，則孛然起焰矣。謂其破痃癖堅積者，不亦宜乎？破之一字，有深意存」。在李言聞觀點的基礎上進一步闡發，點明了人參可以治療痃癖的作用機制。

（二）關注藥物産地，注重質量鑒别

香月牛山注意到，由於中日兩國地理環境不同，同一種藥物的品類、質量、名稱往往會存在一定的差异。因此，牛山經常在引用中國本草古籍論述的同時，又特别指出和産藥物與漢産藥物的不同之處，并經多方考察，對和漢藥品的真僞優劣進行比較鑒别。

如卷之中烏藥條，「蘇頌曰：根有二種，嶺南者，黑褐色而堅硬；天台者，白而虚軟，并如車轂紋，形如連珠者佳。藏器曰：直根者不堪用」。香月牛山結合蘇頌、陳藏器二人的説法，對兩種烏藥進行甄别，「啓益：按清來者有兩種，和俗稱九九里，即連珠烏藥；其不連珠者，是鈎樟根也，勿用」。

再如卷之下肉桂條，「好古曰：細薄者，爲枝爲嫩；厚脂者，爲老爲肉；去皮與裏，當中者，爲桂心」。香月牛山還考察了多種外來及本土的肉桂品種，「啓益：按近清來者種類多，有東京，有交趾，有阿滗，以東京者爲最上。又有官桂，皮厚，辛辣香氣，不稠粘者良。清來桂多混雜木蘭皮及辛夷皮，須揀去也。本邦桂即菌桂也，不如清來者。然鄙僻地乏藥物，則用之可也。新采者香氣薄，剥取裹紙藏筐中一年許而用之，則香氣發出甚佳。近藥店稱東京肉桂者，皮薄辛辣，即桂枝也」。牛山指出，雖然由清朝進口的肉桂質量更爲上乘，但若處藥物匱乏之地，只要掌握藥物炮製的方法，本地肉桂同樣可以應用於臨床治療。

香月牛山十分注重和漢藥物品類的對照。如卷之下香薷條，「時珍曰：細葉者，僅高數寸，葉如落帚葉，即石香薷也」。牛山又在其後注明了日本本土對石香薷的鑒别，「啓益：按大葉者，和俗稱長刀香薷，小葉者呼石香薷，共用，然大葉者力稍勝矣」。

（三）重視藥物炮製，質疑前人之説

香月牛山同樣重視藥物的炮製。《藥籠本草》所録藥物，往往會載其炮製方法，并在其後附以牛山自己的觀點。如卷之中天麻條，「薛己曰：凡用，以濕紙包煨用。」「時珍曰：用蒺藜子熬焦，蓋於天麻製，是雷斅治風痹修事也。若治肝經風虚，惟煨熟酒浸，焙乾用」。香月牛山分别總結了李時珍和薛己對天麻的不同炮製方法及各自特點，「啓益：按如酒製，甘滑而滯泥。常用因薛己之説，包濕紙三重於糠火中煨熟，日乾用。」

對前人提出的觀點，香月牛山并非一味遵從，而是根據自己的經驗提出質疑。如卷之中天南星條，「時珍曰：造星麴法，以薑汁礬湯和星末，作小餅子，安籃内，楮葉包，待上黄衣，乃取曬收之。造膽星法，以南星研末，臘月取黄牯牛膽汁，和劑納入膽中，繫懸風處乾之，年久者彌佳」。香月牛山認爲李時珍記載的炮製方法存在一定問題，并提出了自己的解决方案，「啓益：按常用宜細切，拌薑汁，日乾，微炒用之。造膽星法，如時珍之言，則歷數日而不能乾，腥臭氣存而病人不任服。今詳之，則臘月用大天南星切片，和合膽汁，待膽气透片星而盛於布袋壓之一周時，黄汁流出後取出，繫懸風處，曬乾，則腥臭氣去而宜藥用」。香月牛山提出的方法，解决了膽南星在炮製過程中可能存在的「腥臭氣存」問題。

（四）結合臨床經驗，考察附方功效

香月牛山在引録諸家關於藥物附方的記載時，常常結合自己的臨床經驗，對所引醫方的療效進行論述。如卷之上當歸條，香月牛山引用了李杲對當歸的運用，「東垣曰：配黄芪治肌熱燥熱，困渴引飲，目赤面紅，晝夜不息，其脉洪大而虚，重按全無力。此血虚之候也，得於饑困勞役，證象白虎，但脉不長實爲异耳，誤服即死」。牛山又在其後記叙了自己對該方的使用心得，「啓益：常用上方治痘瘡灰白瘙癢者，有效」。牛山將原本用治熱證之方用來療痘瘡，并獲得很好的療效，擴大了該方的主治範圍。再如卷之上芎藭，「《靈苑方》曰：驗胎法，川芎生爲末，空心煎艾湯，服一匕，腹内微動者是有胎，不動者非也」。其後，「啓益：常用此法，屢試不差。蓋艾葉止血固胎，用此煎湯，保護胎氣，用川芎辛散破血之藥，則微覺胎動而不到墮胎，是立方之妙用也」。牛山的論述，一方面證實了該方的效果，另一方面闡釋了該方的組方機制。

此外，香月牛山還記載了自己對某些方劑的加減運用經驗。如卷之上人參條，「談野翁曰：與赤茯苓、麥門冬治齒縫出血」。其後，「啓益：每治齒牙急痛不可忍者，用上方加升麻、連翹，有效」。卷之中防風條，「《易簡方》曰：與川芎、人參同治盜汗」。其後，「啓益：常用此方加黄芪、當歸，有奇效」。對個别效方，香月牛山更是記載了相關醫案。如卷之中三棱條，「《得效方》曰：治渾身燎泡如棠梨狀，每個出水，有石一片，如指甲大，其泡復生，抽盡肌膚肉，即不可治。三棱、莪术爲末，酒調連進愈」。香月牛山在其後附上一則醫案，證實了該方的療效，「啓益：向歲仕於中津侯，在於東豊之日，見一土民之病似前症者，年四十餘，遍身生燎泡，皮膚鱗甲，癢而不可忍，搔之則破爛出水。瘡中有弩（胬）肉一片，非石非肉，飲食如常，無餘苦。用前方加連翹爲末，服之半月而弩（胬）肉變膿，頻服兩月而全愈。偶因相同，以記此爲證矣」。

總之，香月牛山在編撰《藥籠本草》時，一方面旁徵博引諸家著作，集前人之大成；另一方面又不拘泥於前人觀點，而是根據自己在臨床中的經驗對諸家之説進行分析、考證，在藥物炮製、質量鑒别、臨床運用等方面附以己見，對相關問題進行了獨到的闡發。

四　版本情況

據日本《國書總目録》所載，《藥籠本草》初刊於享保十九年（一七三四），又於文化九年（一八一二）再刊，現存版本如下：享保十九年（一七三四）刻本，藏於日本國立國會圖書館白井文庫、京都大學圖書館、京都大學圖書館富士川文庫、東京大學圖書館鶚軒文庫、龍谷大學圖書館、東京都立日比谷圖書館加賀文庫、福岡縣立圖書館、西尾市立圖書館岩瀨文庫、市立刈谷圖書館、杏雨書屋、楂蒡書屋、天理圖書館古義堂文庫、村野文庫；文化九年（一八一二）刻本，藏於日本國立國會圖書館。❶

本次影印采用的底本，爲日本國立國會圖書館白井文庫所藏享保十九年（一七三四）刻本。此本藏書號「特1—1916」，封皮處貼有上述藏書號。全書分爲六册，每册各半卷，合爲三卷。封皮題簽分别寫有「藥籠本草」書名。第一册卷首扉葉刻「牛山香月先生著／藥籠本草／平安書鋪柳枝軒梓行」。扉葉之後載序言三篇，分别爲趙松陽、伊藤長胤序及香月牛山自序。全書四周單邊，無界格欄綫。正文每半葉九行，每行二十一字。版心白口，書口上部刻所載藥名，如「草豆蔻」「香附子」；中部刻卷次，如「上」「中」「下」；下部刻有葉次，如「序一」「序二」「目十一」「一」「二」「三」。末卷之後附享保十三至十四年間（一七二八—一七二九）清人趙松陽（天潢）與香月牛山的往來書信。信函之末爲刊刻牌記，鎸「享保十九年寅孟春吉日／京六角通御幸町西江□所／書肆柳枝軒茨城多左衛門」。牌記左

---

❶〔日〕國書研究室．國書總目録：第七卷［M］．東京：岩波書店，一九七七：七六六．

側還刻有「牛山香月先生著……」，内容爲香月牛山五部著作《卷懷食鏡》《螢雪餘話》《醫學鈎玄》《國字醫藪》《藥籠本草》的刊刻廣告。

綜上所述，香月牛山是日本江户時代後世方派的著名醫家之一，不僅臨證經驗豐富，且對本草研究亦頗有心得。香月牛山編撰的《藥籠本草》一書，廣泛參考了來自中國的醫藥學著作，并結合自己的臨床經驗撰寫成書，在藥物炮製、質量鑒别、臨床運用等方面多有新意，對日本江户時代本草學的發展做出了較大貢獻，值得今人深入發掘研究。

付　璐　蕭永芝

藥籠本草
特1
1916

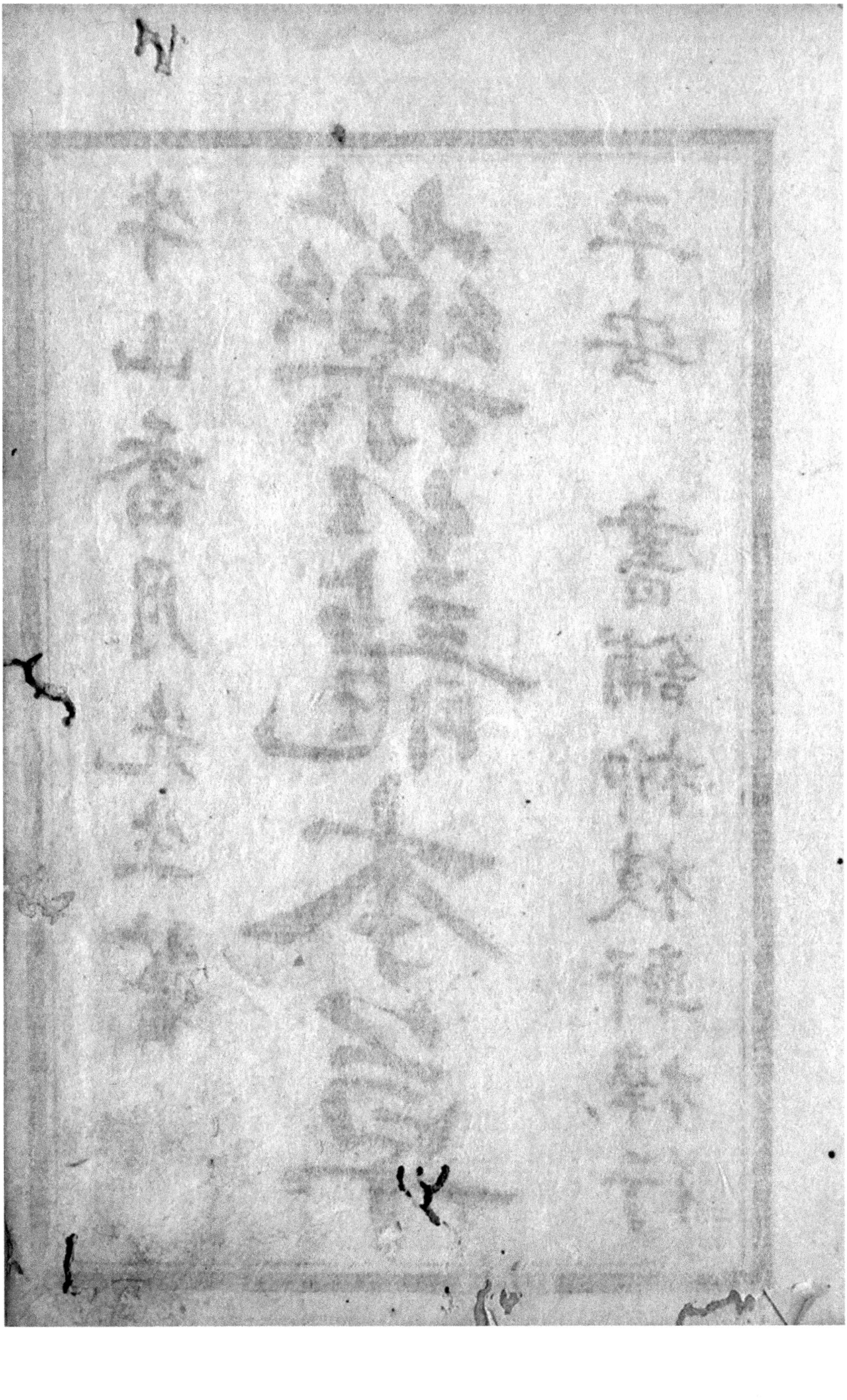

牛山香月先生著

藥籠本草

平安　書舖柳枝軒梓行

昔神農氏著本草三巻古薬
三百六十五品以別上中下三等
唐宋以来増至一千一百餘種
已無菜不収無方不備矣故牛溲
馬勃敗鼓之皮咸為世用明李
時珍李君集成本艸綱目分為

十六部既詳且悉蔚乎富矣奈
藥品浩繁目不經見讀之者未
免有望洋之嘆憶仲淳繆氏
用藥不及百種竟成一代名醫由
與夥之情爲而不精雖多無益
也余在丙午孟冬航海來崎幾

及乙我道中偶宿相聚其奈方音各殊討論往復深為振服戊申初夏薩摩老和尚自京中回携得藥籠本草上卷示余即為展閲想知牛山翁所述計所取藥品一百二十種蒐輯無雜抄書衆論

刪繁去複内又間附己意使千
百年來所未剖者了於言下
可以誇耀古人學悟淺學其
有功於斯世名大矣哉首落
正公云不為良相願為良醫用
舍行藝事以私濟為事

牛山翁身雖未達名已播迥其
救衆之心默符之宰而令而後
豈僅澤生醫人行將期其
醫國保持大廈生年之所唯學被
德澤者無止一邦普海内外
皆然蒼黔民以仁壽之域其功

敦厖渉鮮也余年雖邁當予
拭目以待嗣緣再過長崎名細
仁氣遍及想信余言之不謬耶
令翁所居之地去崎島數程既
親炙教言如何得接芳聞客之
不揣如陋筆爲題先後我心所

躬行之事萬里神氣正遠
記也孔子云德不孤必有隣不
讀是篇以為能乎否
歲在戊申中秋七月之晦日中澣
玉峯趙天潢湘陽氏序於長
崎旅舍

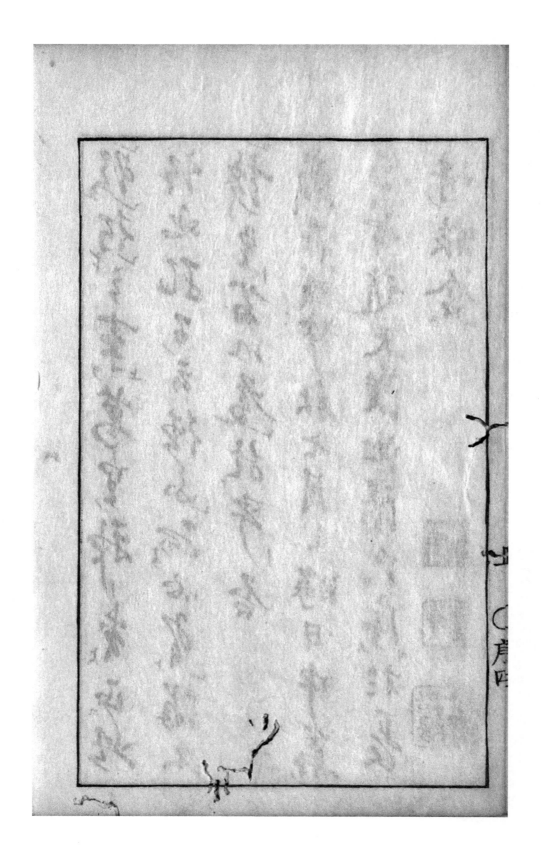

藥籠本艸序

唐狄仁傑謂元行沖曰吾藥籠中物何可一日無也是以宰中宮賢張才畯以待器使猶畜參

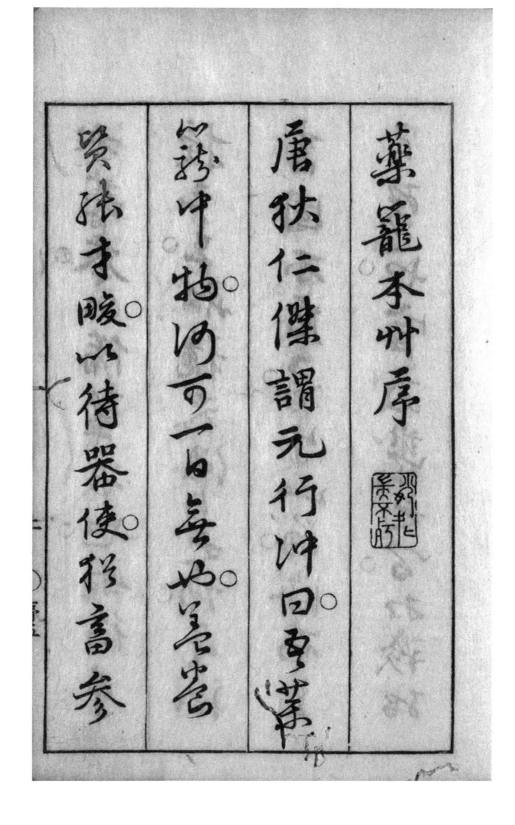

求蓍苓以備醫藥也。爾後手授已。王收補天浴日之功云。派裔固不磨焉。生山翁。海石之子醫也。官及甚之。百和議弼

四十年所究以軒岐之術在
都嘗請鑒僊董其推也爲
予嘗序其書而記其堂之後
輯一書名曰藥籠本艸際書

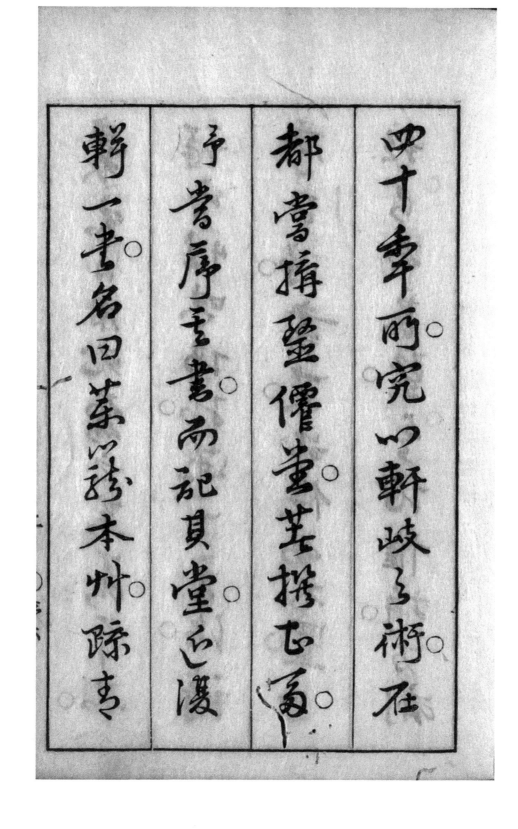

囊家日用必需之藥幾千品。詳其性味功能。述其主治。請序于予。書來。不促而不置。乎語以古良醫。其功惟持。方劑

之書。譚嘖嘖爲。梁公以相業
出于醫術。今牛山翁。友于醫
業以影其書。梁公之續于偉
效如彼。則牛山翁之於于術。

不壽躋一世于壽域而後已
說者謂其決而剔之用以將
貤之澤于永世而無窮者甚
在是乎是爲序

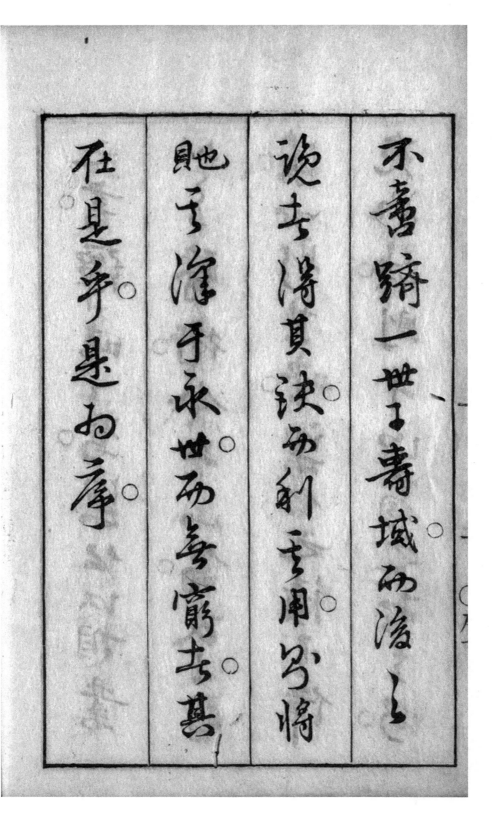

旹
享保戊申歲孟春日
伊藤長胤謹敘

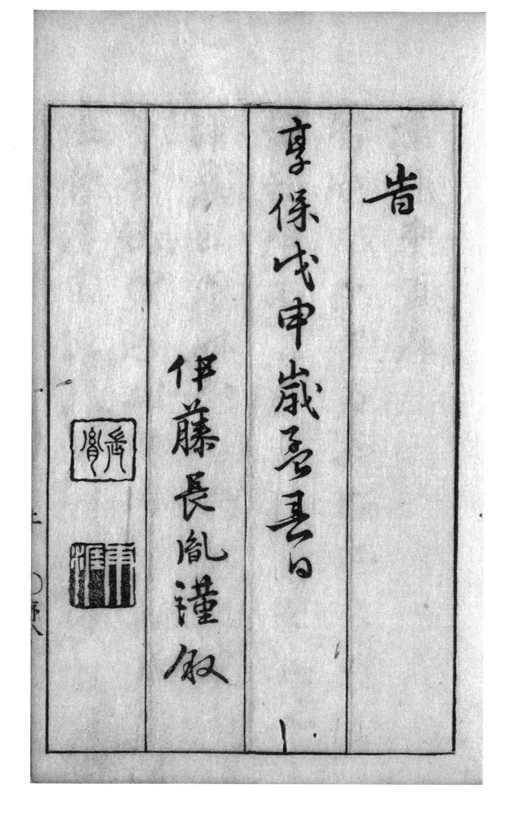

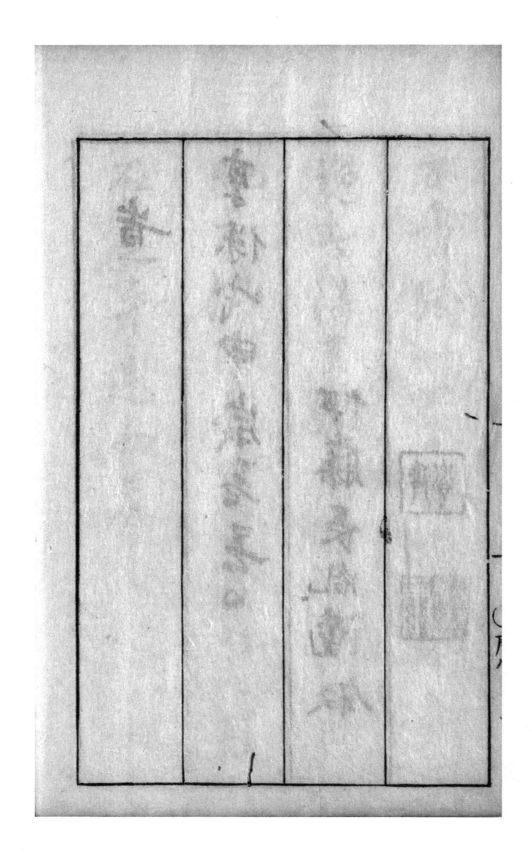

藥籠本草序

醫家之有本草也猶工之有刀鋸錐鑿不可一日無焉者也抑神農之巻始嘗焉脩飾撰貞白之下錄混焉而東壁之綱目出後仲淳之經疏朱謨之彙言其

徵亭寔其平部蔚乎篇笠然品
數多端而或非當務之急諸說
散亂而竟無歸一之論學者攻
究窮年猶寛眩目披瀆渺而
揀金滌曠野以獲寃難宰裁弟
之概乎此采擇籠中藥一百二

千種抄其無從刪除重複擇繆
變煩寫附勝從輯為三卷為日
用備忘焉狀課公理之濫云書
藥籠中物不可一日無也此能
知其為人以適用觀覽求擇
藥物亦惟然身邊以名之

享保丁未季夏穀日

貞庵香月啓益牛山甫

牛山

貞庵啓益

藥籠本草目録

上卷　二十二種

前胡

中卷　四十六種

防風　羗獨活　葛根 附葛花

桔梗　枳實　枳殼

白芷　藿香　木香

紫蘇　蘇子　大腹皮

檳榔子　黄芩　黄連

梔子　連翹 附連軺　縮砂

益智　白豆蔻　草豆蔻 附草果

香附子　山樝子　烏藥
三稜　莪茂　神麯
麥蘗　天麻　蔓荊子
貝母　天南星　天門冬
麥門冬　五味子　山藥
蓮肉　白扁豆　薏苡仁
遠志　酸棗仁　山茱萸
木瓜　牡丹皮　地骨皮
石菖蒲

下卷　五十二種

附子　乾薑附生薑　良薑
肉桂　沈香　丁香
薄荷　荊芥　香薷
麻黄　細辛　滑石
石膏　大黄　黄蘗
木通　澤瀉　猪苓
車前子　龍膽　知母
秦艽　牛膝　杜仲

威靈仙　鈎藤鈎　茴香
藁本　常山　烏梅
茵蔯　金銀花　菊花
紫菀　鱉甲　穿山甲
桑白皮　瓜蔞　桃仁
杏仁　乳香　沒藥
五靈脂　延胡索　紅花
蒲黃　地榆　側柏葉
阿膠　益母草　艾葉

大槖

總計百二十種

藥籠本草卷之上

牛山香月啓益著
姪　景山香月玄洞叅
門人東庵綾部玄岫訂

人参　本經上品

本經曰味甘氣微寒無毒○張元素曰性温味甘微苦氣味俱薄浮而升陽中之微陰○李言聞曰生用凉熟用温○朱丹溪曰入手太陰經○李中梓曰入足太陰○徐之才曰茯苓馬藺為之使惡溲疏鹵鹹反藜蘆畏

五靈脂惡皂莢黑豆動紫石英○大明曰殺金石藥毒
○言聞曰味甘補陽微苦補陰氣主生物本乎天味主
成物本乎地氣味生成陰陽之造化也凉者高秋清肅
之氣天之陰也其性降温者陽春生發之氣天之陽也
其性升甘者濕土化成之味地之陽也其性浮微苦者
火土相生之味地之陰也其性沈人参氣味俱薄氣之
薄者生降熟升味之薄者生升熟降如土虛火旺之病
則宜生参凉薄之氣以瀉火而補土是純用其氣也如
脾虛肺怯之病則宜熟参甘温之味以補土而生金是

純用其味也○陳士鐸本草新編曰能入五藏六府無經不到非僅入脾肺心而不入腎肝也五藏之中尤專入肺入脾其入心者十之五入腎者十之三耳世人止知人参為脾肺心經之藥而不知其能入肝入腎但肝腎乃至陰之經人参氣味陽多于陰少用則泛上多用則沈下故遇肝腎之病必須多用之于補血補精之中助山茱熟地純陰之藥使陰中有陽反能生血生精之易也

本經曰主補五藏安精神定魂魄止驚悸除邪氣明目

開心益智久服輕身延年○名醫別録曰療腸胃中冷心腹鼓痛脇胸逆滿霍亂吐逆調中止消渇通血脉破堅積令人不忘○甄權曰主五勞七傷虚損痿弱止嘔噦補藏府保中守神消胸中痰治肺痿及癇疾冷氣逆上傷寒不下食凡虚而多夢紛紜者加之○李珣曰止煩躁變酸水○大明曰消食開胃治氣○元素曰治肺胃陽氣不足肺氣虚促短氣少氣補中緩中瀉心肺脾胃中火邪生津液○李時珍曰治一切虚証發熱自汗眩運頭痛反胃吐食痎瘧滑瀉久痢小便頻數淋瀝勞

倦内傷中風中暑痿痺吐血嗽血下血血崩胎前産後
諸病○張介賓曰與生薑同裹濕紙煨熟治虚瘧○談
野翁曰與赤茯苓麥門冬治齒縫出血○啓益毎治齒
牙急痛不可忍者用上方加升麻連翹有効○華陀曰
與側栢葉荊芥穗燒為末和飛羅麪治氣血妄行心肺
脉破口鼻血出如湧泉者○陳自明曰與石菖蒲石蓮
肉同治産後不語○倪朱謨本草彙言曰與麥門黄芪
白芍皂角刺肉桂穿山甲同治痘瘡灰白乾枯不起者
○楊士瀛曰與阿膠糯米治驚後瞳人不正者○李東

垣曰補肺中元氣肺氣旺則四臟之氣皆旺精自生而形自盛肺主諸氣故也張仲景云病人汗後身熱亡血脉沈遲者下痢身涼脉微血虛者並加人參古人血脫者益氣蓋血不自生須得生陽氣之藥乃生陽生則陰長血乃旺也若單用補血藥血無由而生矣素問言無陽則陰無以生無陰則陽無以化故補氣須用人參血虛者亦須用之○薛己曰運用之性頗緩補益之性最充但虛火可禦而實火難用以其耳能生血故有通脉之功○陳嘉謨曰肥白人任多服蒼黑人宜少服丹溪云

肥白氣虛蒼黑氣實然考醫按中證虛色蒼黑者亦每多用此云其常猶嘗應其變也○薛己曰但入肺經助肺氣而通經活血乃氣中之血藥也補遺所謂入手太陰而能補陰火者正此意也○言聞曰東垣以相火乘脾身熱而煩氣高而喘頭痛而渴脉洪而大者用黃蘗佐人參孫真人治夏月熱傷元氣大汗大泄欲成痿厥用人參麥門冬五味子以瀉熱火而補金水此皆補天元之真氣非補熱火也○嘉謨曰丹溪治外感挾內傷症但氣虛熱甚者必與黃芪同用托住正氣仍恐性緩

不能速達少加附子資其健悍之性以助成功是知火與元氣勢不兩立一勝一負輙用匡扶經曰邪所湊正必虛是爾○嘉謨曰東垣云人參黄芪甘草之三味退虛火聖藥也丹溪亦云虛火可補參朮之類是也以此視之若退虛火豈寒涼助水之藥可制必資甘温補陽之劑補足元陽則火自退耳正經所謂温能除大熱是也大抵人參補虛虛寒可補虛熱亦可補氣虛宜用血虛亦宜用但恐陰虛火動勞嗽吐血病久虛甚者不能抵當其補耳非謂不可補也如仲景治亡血脉虛非不

知動火也用此以補之謂氣虛血弱補氣則血自生陰生於陽耳能生血故也葛可久治勞瘵大吐血後亦非不知由火載血上也用此一味煎服名曰獨参湯益以血脫須先益其氣耳丹溪治勞嗽火盛之邪製瓊玉膏以為之君或此單熬亦曰人参膏類服後肺火反除嗽病漸愈者又非虛火可補之明驗耶○景岳全書曰如龍雷之火屬虛火得水則燔得火則散是則假熱之火故補陽即消矣至若亢旱塵飛赤地千里得非陽亢陰虛而亦可補陽生陰乎或必曰此正實火也得寒則已

予曰不然夫炎暑酷烈熱令大行此為實火非寒莫解
而乾枯燥旱泉源斷流是謂陰虚非水莫濟此實火之
與陰虚亦自判然可別是以陰虚而火不盛者自當用
参為君陰虚而火稍盛者但可用参為佐若陰虚而火
大盛者則誠有暫忌人参而惟用純甘壯水之劑庶可
收功一証不可不知也予非不善用人参者亦非畏用
而不知人参之能補陰者蓋天下之理有對待謂之曰
陰虚必當忌参固不可謂之曰陰虚必當用参亦不可
要亦得其中和用其當而已矣○言聞曰凡人面白面

黃面青黧悴者皆脾肺腎氣不足可用也面赤面黑者
氣壯神強不可用也脉之浮而芤濡虛大遲緩無力沈
而遲濇弱細結代無力者皆虛而不足可用也若弦長
緊實滑數有力者皆火鬱內實不可用也潔古謂喘嗽
勿用者痰實氣壅之喘也若腎虛氣短喘促者必用也
仲景謂肺寒而咳勿用者寒裹熱邪痰壅在肺之咳也
若自汗惡寒而欬者必用也東垣謂久病鬱熱在肺勿
用者乃火鬱于內宜發不宜補也若肺虛火旺氣短自
汗者必用也丹溪言諸痛不可驟用者乃邪氣方銳宜

散不宜補也若裏虛吐利及久病胃弱虛痛喜按者必用也節齋謂陰虛火旺勿用者乃血虛火亢能食脉弦而數涼之則傷胃溫之則傷肺不受補者也若自汗氣短肢寒脉虛者必用也如是詳審則人參之可用不可用思過半矣○繆仲淳曰有痧瘄初發身雖熱而斑點未形傷寒始作形症未定而邪熱正熾若誤投之鮮克免者○嘉謨曰古方書云諸痛不宜服參芪此亦指暴病氣實者而言若久病氣虛而痛何當拘此東垣治中湯同乾薑用治腹痛吐逆者亦謂裏虛則痛補不足也

○仲淳曰本經云破堅積者真氣不足則不能健行而磨物日積月累遂成堅積譬夫磨管納物無力則不轉不轉則停積矣脾主消化真陽之氣固則脾強而能消何堅積之不磨哉○言聞曰雷斆言夏月少使人參發心痃之病此說非矣痃乃臍旁積氣非心病也人參能養正破堅積豈有發痃之理觀張仲景治腹中寒氣上衝有頭足上下痛不可觸近嘔不能食者用大建中湯可知矣○　啓益　顧古聖言破痃癖堅積先哲解之曰真氣不足則不能健行故成堅積用之而真陽之氣固則

何堅積有之蓋人参味甘苦自有餘味千草百藥中未曾有如此備純粹發達之氣勢者予試譬諭言之今有一壯夫元氣充實藏府強固一旦過飽飲食壅滯胃中無一氣升降之罅隙脾氣為之不運不能上吐下瀉脉絶手足厥冷不省人事死在頃刻用参附理中湯等之類發達一氣則得吐瀉而元氣甦庸醫見之以為補元氣故也是病者之元氣非虛脫惟為穢物所抑鬱而不能運也猶燈火雖有油有燈心為塵垢見抑鬱則光耀自滅將滅者方此時也以引火奴發揚之則孛然起焰

矣謂其破痃癖堅積者不亦宜乎破之一字有深意存
本邦之庸醫不達此義堅當作腎者可哂也○楊起
曰有肺寒肺熱中滿血虛四証只宜散寒清熱消脹補
營不用人参其説近是殊不知各加人参在内護持元
氣力助羣藥其功更捷若曰氣無補法則誤矣古方治
肺寒以温肺湯肺熱以清肺湯中滿以分消湯血虛以
養營湯皆有人参在焉所謂邪之所湊其氣必虛又曰
養正則邪自除陽旺則生陰血貴在配合得宜爾○薛
已曰毉者但泥於作飽而不敢用益不知少服則滋壅

不行多則反宜逼不滯矣○龍方穀本草纂要曰用参之法不可過多而服参之法不可大峻必須服藥之時徐徐飲之此善處乎補瀉者也○張路玉醫通曰傷寒有宜用人参入藥者發汗時元氣大旺外邪乘勢而出若元氣虛弱之人藥雖外行氣從中餒輕者半出不出留連致困重者隨元氣縮入發熱無休所以虛弱之人必用人参入表藥中使藥得力一涌而出全非補養之意又曰古今諸方表汗用参蘇敗毒和解用小柴胡解熱用白虎竹葉石膏湯攻下用黄龍湯皆領人参深入

驅邪即熱退神清從仲景至今明賢方書無不用人參
何為今日醫家摒絶不用以阿諛求容全失一脉相傳
宗旨殊不知誤用人參殺人者皆是與黄芪白朮乾薑
當歸肉桂附子同行溫補之誤所致不與羌獨柴前芎
半枳桔等同行之法所致也安得視人參為砒鴆刀刄
固執不用耶又痘疹不宜輕用人參者青乾黒陷血熱
毒盛也若氣虚頂陷色白皮薄泄瀉漿清必用也○薛
己曰古方解散之藥及行表藥中多用此者亦取其通
經而走表也○仲淳曰在敗毒散治氣虚人患四時不

正傷寒在參蘇飲治肺虛傷風○啓益謂仲淳之說不確如敗毒參蘇劑中有若干風藥而發散邪氣一味人參豈能補虛乎必勿拘病者虛實但因薛氏之說當取其通經而走表乘勢而出邪之義也　本邦庸醫用二十方多去參殊不知有乘勢走表之妙然人參價貴如輕輕風病須去之豈悉厭乎○薛己曰生脉散用之亦以其通經活血則動脉自生也○白飛霞曰人參錬膏服回元氣於無何有之鄉凡病後氣虛及肺虛嗽者宜之若氣虛有火者合天門冬膏對服之○本草新編曰如

獨参湯乃一時權宜非可恃為常服也蓋人氣脱于一
時血失于頃刻精走于須臾陽絕于旦夕他藥緩不濟
事必須用人参一二兩或四五兩作一劑煎服以救之
否則陽氣遽散而死矣此時未嘗不可襍之他藥共相
挽回誠恐牽制其手反致功効之緩不能返之于無何
有之鄉一至陽回氣轉急以他藥佐之纔得保其再絕
耳否則陰寒逼人又恐變生不測可見人参必須有輔
佐之品相濟成功未可專恃一味期于必勝也又曰當
今之世非畏人参即亂用人参畏用之弊宜用而不用

亂用之弊不當用而妄用二者殺人余所以辨人參之功增畏用者膽辨人參之過誅亂用者之心○言聞曰東垣理脾胃瀉陰火交泰丸內用人參皂莢是惡而不惡也古方療月閉四物湯加人參五靈脂是畏而不畏也又療痰在胸膈以人參藜蘆同用而取涌越是激其怒性也此皆精微妙奧非達權衡者不能知

言聞曰凡生用宜㕮咀熟用隔紙焙之或醇酒潤透㕮咀焙熟並忌鐵器○啓益謂凡使去蘆細切隔紙焙之蓋人參補助真元之陽氣如侵鐵器則恐殺純陽升發

之功此說出于言聞而未考古說又郭佩蘭本草滙所謂肺家有火者不得已而用之則以鹽水秋石焙過亦何害哉此說出本邦庸醫習而不察多從之反乎言聞忌鐵器及醇酒潤透之義殊不知人參惡鹵鹹不可不察

時珍曰人參體實有心而味甘微帶苦自有餘味俗名金井玉闌也其形似人者名孩兒參又曰近有薄夫以人參完浸取汁自啜乃晒乾復售謂之湯參全不任用

○啓益謂本邦所用朝鮮來者重之清來者次之朝

鮮參黃潤明亮而形如防風單股重實蘆下首上有橫紋者是最上好參也其中間有孩兒參最難得清來者肥大虛輭或堅白細實氣味共薄　本邦藥肆謂之唐人參或謂判事人參又有形大而輕虛氣味共薄者朝鮮人謂之服參或謂浮參浮者輕浮之義服者與北通此參生北陰之地而不受純陽之氣故其形輕浮氣味共薄　本邦庸醫解服參謂綱目湯參是也取汁以啜服之後矣蓋不知服之音通北說湯參與服參其性功相同則可也為湯參服參共一物則非也又有參尾有

碎條氣味共薄然出參體而非別物又有參鬚韓及清來蘆根竹節其鬚纖長其色黃赤味苷而帶苦雖功力不讓參尾碎條疑是一種參而不出參體者乎以上三種氣味功力不如好參然其價廉而貧家之備用也○張氏醫通曰參鬚價廉貧乏之家往往用之其治胃虛咳嗽失血等証亦能獲効以其性專下行也若治久痢滑精崩中下血之症每致增劇以其味苦降泄也○啓益謂本邦醫以薩摩小人參及吉野人參充參鬚然苦味多苷味少勿代用惟治小兒癖勞有効○啓益按

近世有韓來一種参形如桔梗柔軟而黄白潤亮甘美而無餘味馬嶋人謂之類遼以充好参疑是薺苨所說土人参之類乎雖形色鮮明不如堅實黄潤而味甘有餘味者也○蘇頌曰相傳欲試上黨好参但使二人同走一含人参一空口度走三五里許其不含人参者必大喘含者氣息自如○啓益顧今欲用人参治危篤病則必須撰人参如唐人参二錢其功不如韓参一錢猶醸酒二盞不如一盞醇酒　啓益嚮年療桑坂屋又意之病有一得之効一日來語曰我家傳一方藥酒號桑酒

其方其製秘而不許于他予以子傳然先生肉余之枯骨人再造之恩何以報之今欲製此酒以獻之頃日修製半成君來見焉予欣然倒履行而見之則用醅盛磁器黃黒而如飴稠黏而如泥意手自取朝鮮好参四基以樹醅泥中語曰如是而俟明朝則醅泥融化而為水爾後雖遇嚴寒再無凝結君亦來試見之予疑訝而歸翌朝行而見之則醅泥悉化而為水人参惟浮瀁而如芥舟嚙之則無氣味其酒如甘露下口下咽則元氣活然清爽實神仙靈醇也又語曰韓参之效奇哉用他参

則不能蝙化而為水君再思焉由是觀之則朝鮮参優於他参也粲然明白不可不擇矣

蕭炳曰人参頻見風日則易蛀惟用盛過麻油尾罐泡淨焙乾入細辛與参相間收之容封可留經年○啓益昔時聞對馬人畜人参法藏茶葉甕中入人参與茶相間收之則經久而不蛀屡試之不違勿用他法

○人参非能生死人論

本邦近世醫多恃人参功力以為人命繋於一草根謾説曰人参能生死人世俗往往習而不察唯此説是信

矣愚昧者謂人參價貴則其功亦豈不大耶驕而不論理者謂人參價倍金我豈輕身惜財耶是以常自服之以為長壽之術不但自服而施與貧者以為傲富之驕壯是賢於輕身惜財者然言其害則抑一也予每對此等人喻之曰人參非能生死人此自當生者人參能使之起耳是不予之私論人參功力古人所說其言榷其旨深然世醫鹵莽而不能詳察其所用當否又斟酌其分量多寡恃其功者用如飲食不恃其功者嫌如蚍蝎妄投妄厭徒不見利而反見其害嗚呼可嘆哉夫天地

間物皆禀陰陽五行之氣而生各異其性獨禀純陽清和之氣具補性者除参無他故稱参千草之靈百藥之長益人参補人之元氣故不問男女老少氣血寒熱病屬虛者悉皆用之補虛舍参奚用矣如傷寒汗下後中寒中暑中風卒倒痢後痘後産後脫血金瘡失血吐衂亡血癰疽潰膿諸大病氣血枯瘁元氣衰弱垂死者服之則能回真氣除虛邪是以古人立方有獨参参附理中治中四順保真湯等劑是皆救急之寶筏也觀古人用人参皆因其人因其病而斟酌多寡今人不然不詳

人虛實不察病輕重謾用人參十倍于古矣明之治世
二百有餘年人自安佚風俗日偷禀賦漸漓真元薄弱
六氣易侵當此時薛己出而用大料人參活人億萬其
名鳴于中華其書傳于　本邦擧世知人參之功也
本邦亦治世百有餘歲文物盛而武事懈沃土之民而
奉養極厚氣體共薄用大料人參取驗居多然非隨病
之輕重爲用之多寡則不但無益反爲其害頃閲清之
醫書用人參復倍于明　本邦醫亦祖之者十而八九
是世之風習或曰今世及澆末天地氣候不如古則人

物亦從之而氣性薄弱也治其薄弱之人以薄弱之物必非大料則何以取驗乎此說雖似精細而惑世誣人之鑿論也何則天地生物一木一草無不為人用故稻粱以為養菓菜以為助藥物以治病若言世既及澆末物性亦薄弱則豈獨人參而已乎蓋人飢則食稻粱以遂其生未聞澆末薄弱之人有倍食稻粱而為養者且諸藥中具補性者許多就中黃芪其補亞人參胡不為大料而獨拘拘於人參乎是不思之甚也蓋如東垣自古稱醫中之王道觀其方用參二三分或六七分合為

一服其分量計三錢至四五錢以為度治療疾也莫過
葛可久者治吐血暴病用獨参湯其分量用人参十錢
大棗五枚以為度況　本邦之人視中華之人則質弱
氣薄其藥餌亦不任濃故方藥一服之重起一錢半而
止三錢加参亦二三分至六七分從東垣之例而可也
如獨参湯從其病勢自一錢至五錢自五錢至十錢而
止倣葛可久之例而可也是予用参之定式也如今用
人参至十錢而元氣不甦者其人無魂猶樹之無根所
謂無魂不當治也雖至百錢亦何益之有又有數人参

醫適見虚証用人参五厘或七厘反滿悶而其病增劇
則益數而貪之殊不知少服則滋壅而不行多則反宣
通而不滞也又有恃人参醫不問方藥之補瀉妄倍用
之見彼醫方藥一服僅不過一錢半而用人参六七分
至一錢是亦不知方藥中有君臣佐使也若見危篤則
用人参二三十錢或五六十錢甚者至半斤猶恐其未
及徒無益而有害耳至其無効則曰用人参如是而不
及是命也矣不恥頼人参而我工之拙乎此二者醫人
之愚偏而不知中且無恒而文過者夫醫云乎又有病

虚者加参二三分則泥膈而不食至六七分則發嘔吐至一二錢則滿悶而其病増劇者又有雖服人参數十錢而無泥滞之患其病自平服者此二者病人之性自有好否也如其不好者必不任其氣也如其好者能任其氣也非獨人参如地黄黄芪之類亦然言能任其氣則非惟補藥如烏附黄硝亦然如其好者臭撲鼻則覺清爽味下咽則開膈鬱而快活如其不好近鼻則為嘔吐一呷則泥胸膈而滿悶夏英公餌硫黄附子得壽其妾父竊服数粒發狂病而死太原甘始食天門冬寒滑

物得三百餘齡青牛道士服黄連五十年而飛昇王徽亦服黄連得壽百餘歲此等皆盡誣乎以此觀之則如人参亦從其人性而利害得失自異矣又如飲食藥餌平日慣以為恒則其味雖苷美苦薟其性雖滋補毒惡能任其氣而不見其利害今見嗜烟草代茶酒者其始也未曾有不咽戟目眩者是不任其酷烈之烟氣也然強慣服之則苦薟反覺爽口況於如人参清純中和者乎平日慣以為恒則其應驗亦無以速見焉其害亦無以深矣凡用人参之要雖危篤虚疾及暴病氣血脱去

而死在頃刻者單服十錢則必元氣甦而其効可速也元氣復後不可服大料參察其病勢而當漸減人参節其補而可也又雖好而能任者單服数十錢則未嘗不偏干補故雖無泥滯之患其病或四五箇月而愈或踰半歳而復或偏干補而為廢人或至短折者往往有之所謂久而增氣則物化之常氣增久則夭之由也信哉此言也諺曰人参能活人能殺人者不亦宜哉

沙参　本經上品併入 別録羊乳根

本經曰苦微寒無毒○別録曰羊乳温無毒○好古曰

甘微苦厥陰本經之藥又為脾經氣分之藥○之才曰
惡防已反藜蘆
本經曰主血結驚氣除寒熱補中益肺氣○別録曰療
胸痺心腹痛結熱邪氣頭痛皮間邪熱安五藏久服則
利人又曰羊乳根主頭腫痛益氣長肉○甄權曰去皮
肌浮風疝氣下墜○大明曰補虛止驚煩益心肺一切
惡瘡疥癬身癢排膿消腫毒○戴原禮曰治婦人白帶
下○時珍曰甘淡而寒其體輕虛專補肺氣因而益脾
與腎故金能受火尅者宜之○好古曰微苦則補陰甘

則補陽故潔古取沙参代人参蓋人参性温補五藏之陽沙参性寒補五藏之陰雖云補五藏亦須各用本藏之藥相佐使隨所引而相輔之可也○蕭萬輿曰沙参本草謂能補肺之陰人参益肺之陽試思肺之陰何由而虚乎病自有本金水相生肺之陰即腎之陰也滋苗者必固其根豈平淡升浮之沙参果可益陰乎而易老取以代人参殊不知體質既殊功能亦異安能代也惟葛稚川謂沙参主療卒得諸疝及小腹引痛乃厥陰為患沙参金藏藥也得相制耳予毎用此與升麻以療疝

症往往奇中愈信葛言不誣
時珍曰秋月葉間開小紫花長二三分狀如鈴鐸五出
白葉亦有白花者○藏器曰羊乳根如薺苨而圓大小
如拳○啓益按近世來中華沙參味苦形如當歸尾
而細長束合數根為一株　本邦羊乳根味淡而不
苦較中華物則形狀不甚相類然脗合于藏器之說因
其味則以中華沙參當代人參因其狀則　本邦羊乳
根亦可　予平日以此二物代人參如虛損肺熱者用中
華沙參如脾胃虛弱者用　本邦羊乳根蓋羊乳根味

甘而不苦能調理脾胃故治中氣不足病如補中異功六君湯等之劑雖有人參必加入之則其効居多　本邦稱年乳根者有二品一種花如鈴鐸根如萊菔味甘稱鐘人參或登登幾者真也一種紫莖蔓生氣臭稱蔓人參者非也

黃芪　本經上品

本經曰甘微温無毒◯元素曰甘温平氣薄味厚可升可降陰中陽入手足太陰氣分又入手少陽足少陰命門◯之才曰茯苓爲之使惡龜甲白鮮皮

本經曰主癰疽久敗瘡排膿止痛大風癩疾五痔鼠瘻
補虚小兒百病○別録曰療婦人子藏風邪氣逐五藏
間惡血補丈夫虚損五勞羸瘦止渴腹痛洩痢益氣利
陰氣○甄權曰主虚喘腎衰耳聾療寒熱治發背內補
○大明曰助氣壯筋骨長肉補血破癥癖瘰癧癭贅腸
風血崩帶下產前後一切病月候不勻痰嗽頭風熱毒
赤目○元素曰補肺氣瀉心肺火實皮毛去肌熱及諸
經之痛○趙真人曰酒炒為末以熱猪心點喫治陰濕
痒○孫用和曰同黃連則治腸風瀉血○ 啓益 常用上

方加扁豆陳倉米木香有效○本草切要曰與金銀花穿山甲同治癰瘍潰後○元素曰其用有五補諸虛不足一也益元氣二也壯脾胃三也去肌熱四也排膿止痛活血生血内托陰疽為瘡家聖藥五也又曰補五藏諸虛治脉弦自汗瀉陰火去虛熱無汗則發之有汗則止之○蕭京曰丹溪治一人無汗者佐以葛根能令汗洩則芪又不專止汗耳故善用芪者有汗能止無汗發益止汗不專一芪而病汗亦非專衛虛矣○啓益按黃芪性温純陽之藥其表虛而有汗者用之以實其表則

汗自止是其常也其無汗則發者表氣虛衛氣不行而
無發表之勢故發汗而不出用之以實其表則衛氣行
外表固而汗即出是其權也 予嚮治一男子喪父旬日
後感風寒頭痛如裂壯熱如燒用發散之劑不能汗其
病增劇因而思病者悲哭憂傷陽氣亡衛氣不行故發
汗而不出與九味羌活湯加黄芪一服出汗如流其病
頓愈書之以為證○好古曰治氣虛盜汗并自汗及膚
痛是皮表之藥治咯血柔脾胃是中州之藥治傷寒尺
脉不至補腎藏元氣是裏藥乃上中下内外三焦之藥

也○丹溪曰補元氣肥白而多汗者爲宜若面黑形實而瘦者服之令人胸滿宜以三拗湯瀉之○東垣曰防風能制黄芪黄芪得防風其功愈大乃相畏而相使也○本草新編曰或問黄芪性畏防風而古人云黄芪得防風其功愈大謂是相畏而相使也其説然乎此説亦可信不可信之辭也黄芪無毒何畏防風無畏而言畏者以黄芪性補而防風性散也合而用之則補者不至大補而散者不至大散故功用反大耳○啓益顧黄芪性補住防風性發散發散之能奪補住之功故曰防風

制黄芪黄芪畏防風令劑中以黄芪為君防風少加以為之使則使補住之性引惹干表分故其功愈大也◎宗奭曰唐許胤宗治柳太后病風不能言脉沉而口噤宜湯氣薰蒸之藥入腠理周時可愈乃造黄芪防風湯数斛置於牀下氣如烟霧其夕便得語也◎丹溪曰人之口通乎地鼻通乎天口以養陰鼻以養陽天主清故鼻不受有形而受無形地主濁故口受有形而兼乎無形柳太后病不言若以有形之湯緩不及事令投以二物湯氣滿室則口鼻俱受非智者通神不可回生也◎嘉

謨曰參芪甘温俱能補益但人參惟補元氣調中黃芪兼補衛氣實表所補畧異共劑豈可等分如內傷脾胃衰弱飲食怕進怠惰嗜眠發熱惡寒嘔吐泄瀉及脹滿痞塞力乏形羸脉微神短等証宜補中益氣當以人參加重為君黃芪減輕為臣若表虛腠理不固自汗盜汗漸致亡陽併諸潰瘍多耗膿血嬰兒痘疹未灌全漿一切陰毒不起之症宜實衛護營須讓黃芪倍用為主人參少入為輔焉○李士材本草徵要曰種種功勳皆是補脾實肺之力能理風癩者經所謂邪之所湊其氣必

虛氣亢干外邪無所容耳◎景岳全書曰其所以止血崩血淋者以氣固而血自止也故曰血脫益氣其所以除瀉痢帶濁者以氣固而陷自除也◎東垣曰小兒如脾胃伏火勞役不足之証及服巴豆之類胃虛而成慢驚者用益黃理中之藥必傷人命當於心經中以甘溫補土之源更於脾土中以甘寒瀉火以酸涼補金用炙黃芪二錢人参一錢炙甘草五分白芍藥五分水煎服有奇効◎魏直博愛心鑑曰小兒痘瘡惟有順逆險三症順者為吉不必用藥逆者為凶不必用藥惟險乃悔吝

之象當以藥轉危為安宜用保元湯加減主之此方原出東垣治慢驚之法今借而治痘其症雖異其理則同去芍藥加生薑改名曰保元湯初出至落痂危險症並宜此湯或加川芎官桂糯米以助之○仲淳曰有表邪者勿用助氣者勿用多怒則肝氣不和亦禁用胸膈氣閉悶腸胃有積滯者勿用陽盛陰虛者忌之上焦熱甚下焦虛寒者痘瘡血分熱盛者禁用也

雷斅曰須去頭上皺皮蒸半日擘細剉用○時珍曰今人但槌扁以蜜水塗炙數次以熟為度亦有鹽湯潤透

器盛於湯瓶蒸熟切用者○本草新編曰或問黃芪何故蜜炙豈生用非耶然瘡瘍之門偏用生黃芪亦有說乎曰黃芪原不必蜜炙也世人謂黃芪炙則補而生則瀉其實生用未嘗不補也○啓益按凡使米泔水洗去皺皮細切炙熟用　本邦人腸胃薄弱而不任其濃蜜製鹽製共泥滯胸膈不兩宜

蘇頌曰其皮折之如綿謂之綿芪○陳承曰本出綿上者為良故謂之綿黃芪非謂其柔韌如綿○雷斅曰凡使勿用木耆草相似非真物生時葉短根橫也○蘇頌

曰今人多以苜宿根假作但苜宿根堅而脆○啓益按
本邦黃芪産北國者堅而如木葉上有毛乃木耆草
産西國者較北産者則少輭然非真物疑是苜宿根乎
今見處在間真黃芪然其功力不如中華者

甘草　本經上品

本經曰甘平無毒○宗奭曰生微涼炙溫○東垣曰氣
薄味厚可升可降陰中陽也○好古曰升而浮陽也入
足太陰厥陰經○薛己曰入足少陰經○時珍曰生則
寒熟則溫通入手足十二經○之才曰朮苦參乾漆爲

之使惡遠志反大戟芫花甘遂海藻○甄權曰忌豬肉
本經曰治五臟六府寒熱邪氣堅筋骨長肌肉倍氣力
金瘡瘇腫足解毒久服輕身延年○別錄曰溫中下氣煩
滿短氣傷臟欬嗽止渴通經脈利血氣○甄權曰主腹
中冷痛治驚癇除腹脹滿補益五臟腎氣內傷令人陰
不痿主婦人血瀝腰痛凡虛而多熱者加用之○大明
曰安魂定魄補五勞七傷一切虛損驚悸煩悶健忘通
九竅利百脈益精養氣壯筋骨○聖濟總錄曰濃煎乘
熱頻漱口治舌腫塞口不治殺人○集驗方曰與黃連同

吐初生小兒胸中惡汁○全幼心鑑曰與枳殼同治初
生小兒便閉○千金方曰蜜灸塗陰頭生瘡煎漬療代
指腫痛○古今録驗方曰洗陰下濕痒○本草彙言曰
得黃芩白芍止下痢腹痛得金銀花紫花地丁消一切
疔毒○元素曰稍去莖中痛加酒煮玄胡索苦楝子尤
妙○李迅癰疽方曰治陰下懸癰用橫文甘草以溪澗
長流水慢慢蘸水炙之用好酒煎服○　啓益　常用上方
取効居多頗此方妙在于水製水煎水共可用溪澗長
流水益陰下乃肝經曲折之處故用溪灣屈曲水是同

氣相求之義也〇東垣曰陽不足者補之以甘甘溫能除大熱故生用則氣平補脾胃不足而大瀉心火炙之則氣溫補三焦之元氣而散表寒除邪熱去咽痛緩正氣養陰血凡心火乘脾腹中急痛腹皮急縮者宜倍用之其性能緩急而又協和諸藥使之不爭故熱藥得之緩其熱寒藥得之緩其寒寒熱相雜者用之得其平〇丹溪曰味甘大緩諸火〇好古曰五味之用苦泄辛散酸收鹹斂甘上行而發而本草言甘草下氣何乎蓋甘味主中有升降浮沈可升可下可外可內有和有緩有

瀉有補居中之道盡矣仲景附子理中湯用甘草恐其僭上也調胃承氣用甘草恐其速下也皆緩之之意也小柴胡湯有柴胡黄芩之寒人參半夏之温而用甘草者則有調和之意建中湯用甘草以補中而緩脾急也鳳髓丹用甘草以緩腎急而生元氣也乃甘補之意也又曰甘令人中滿中滿者勿食甘甘緩而壅氣非中滿所宜也凡不滿而用炙甘草為之補若中滿而用生甘草為之瀉能引諸藥直至滿所甘味入脾歸其所喜此升降浮沈之理也經曰以甘補之以甘瀉之以甘緩之

是矣○時珍曰與藻戟遂芫四物相反而胡洽居士治痰癖以十棗湯加甘草大戟乃是痰在膈上欲令通泄以拔去病根也東垣治項下結核消腫潰堅湯加海藻丹溪治勞瘵蓮心飲用芫花二方俱有甘草皆本胡居士之意也故陶弘景言古方亦有相惡相反並乃不為害非妙達精微者不能知此理也○薛已曰生則分身稍而瀉火炙則健脾胃而和中稍止莖中之澁痛節消瘡毒之腫結二者生用之能也又曰諸癰疽瘡瘍紅腫未潰者宜生用其已潰與不紅腫者宜蜜炙用○弘景

曰解百藥毒為九土之精安和諸草石○仲淳曰解一切之毒者凡毒遇土則化甘草為九土之精故能解諸毒也○薛己曰宜少不宜多多則泥膈而不思飲食抑恐緩藥力而少効若脾胃氣有餘與心下滿及腫脹痢疾初作皆不可用下焦藥中亦宜少用恐太緩不能自達也○啓益按上說固是蓋本邦人常不嗜濃肥不飽獸肉故腸胃脆薄而不任甘濃如服藥分量纔起一錢半止二三錢如今用甘草適從古方之分量則泥滯而滿悶減太半而可也然治咽喉腫痛甘桔湯治腹肚

絞痛建中湯共勿減是甘緩急之義也○時珍曰中滿嘔吐酒客不喜其甘○仲淳曰諸濕腫滿及黃疸膨脹欝結諸症禁用

雷斆曰凡使須去頭尾尖處吐人或用酒浸蒸或用酥塗炙又法先炮令內外赤黃用○時珍曰方書炙甘草皆用長流水蘸濕炙之至熟則去赤皮或用漿水炙熟未有酥炙酒蒸者大底補中宜炙用瀉火宜生用○啓益按甘草修製古方有炮炙之製近世多用炙而不用炮又法隔紙焙數十過俟其色黃赤而為度因生熟而

異寒温之性則炮製亦佳

時珍曰今人惟以大徑寸而結緊斷文者為佳謂之粉草其輕虛細小皆不及之○啓益按近有一種阿蘭陀甘草大徑寸餘形肥大而味薄功力不如中華者

白朮　本經上品

本經曰甘温無毒○東垣曰苦而甘味厚氣薄可升可降陽中陰也○好古曰入手太陽少陰足太陰陽明少陰厥陰之才曰防風地榆為之使○甄權曰忌桃李菘菜雀蛤青魚

本經曰主風寒濕痺死肌痙疸止汗除熱消食作煎餌久服輕身延年不飢○別録曰治大風在身面風眩頭痛目淚出消痰水逐皮間風水結腫除心下急滿霍亂吐下不止利腰臍間血益津液暖胃消穀嗜食○甄權曰治心腹脹滿腹中冷痛胃虚下痢多年氣痢除寒熱止嘔逆○大明曰反胃利小便主五勞七傷補腰膝長肌肉治冷氣痃癖氣塊婦人冷癥瘕○元素曰益氣補陽止瀉消足脛濕腫得枳實消痞滿氣分佐黄芩安胎清熱○保命集曰得枳殻則令孕婦胎瘦易産○好古

曰理胃益脾補肝風虛主舌本強食則嘔胃脘痛身體
重心下急痛心下水痞衝脉爲病逆氣裏急臍腹痛◎
嘉謨曰手足懶舉貪眠多服益善飲食怕進發熱倍用
正宜間發痎瘧殊功卒暴注瀉立効或四製研散歛汗
或單味粥丸調脾◎元素曰其用有九溫中一也去脾
胃中濕二也除胃中熱三也強脾胃進飲食四也和胃
生津液五也止肌熱六也四肢困倦嗜臥目不能開不
思飲食七也止渴八也安胎九也◎本草徵要曰甘溫
得土之冲氣補脾胃之神聖也脾胃健轉輸新穀善進

宿食善消土旺自能勝濕痰水易化急滿易解腰臍間血周身之痺皆濕停為害濕去則安矣消痞者強脾胃之力安胎者化濕熱之功○好古曰上而皮毛中而心胃下而腰臍在氣主氣在血主血無汗則發有汗則止與黄芪同功○薛己曰與二陳同用則健胃消食化痰除濕與芍藥川歸枳實生地之類同用則補脾胃而清脾家濕再加乾薑去脾家寒濕與黄芪芍藥等同用則有汗則止少加辛散之味無汗則發○本草彙言曰兼参芪而補肺兼杞地而補腎兼歸芍而補肝兼龍眼酸

棗仁而補心兼苓連而瀉胃火兼橘半而醒脾土兼蒼朴可以燥濕和脾兼天麥亦能養肺生金兼杜仲木瓜治老人之脚弱兼麥芽枳朴治童幼之癖癥溫中之劑無白术愈而復發○汪機曰白术既燥本經又謂生津液何也蓋脾惡濕脾濕勝則氣不得施化津何由生故曰膀胱津液之府氣化則出焉今用白术以燥其濕則氣得周流而津液亦隨氣化而生○嘉謨曰如茯苓亦係滲濕之藥謂之能生津者義與此同○蕭京曰陶節菴言能燥腎固氣益腎司水土虛無制便成汎濫之患

水既偏勝則火益衰火元氣也土母也母衰而子反救乃制水以益火則氣自固而腎自平也○元素曰凡中焦不受濕不能下痢必須白朮以逐水益脾非白朮不能去濕非枳實不能消痞故枳實丸以之爲君氣滯加橘皮有火加黃連有痰加半夏有寒加乾薑木香有食加神麯麥芽○張氏醫通曰仲景五苓散祖素問澤朮麋銜湯並生者但彼兼麋銜以統血則汗自止此兼桂枝以通神明則渴自除潔古枳朮丸祖金匱枳實湯彼用生者以健胃則逆滿自愈此用熟者以助胃則飲食

自強○嘉謨曰奔豚積忌煎常因閉氣癰疽毒禁用爲多生膿○仲淳曰凡病屬陰虛血少精不足內熱骨蒸口乾唇燥咳嗽吐痰吐血鼻衄齒衄咽塞便秘滯下者法咸忌之朮燥腎而閉氣肝腎有動氣者勿服嘉謨曰㕮咀後人乳汁潤之制其性也脾病以陳壁土炒過竊土氣以助脾也○啓益按凡使米泔水洗去蘆及皮細切微炒用之

宗奭曰蒼朮長如大小指肥實皮色褐其氣味辛烈白朮粗促色微褐其氣微辛苦不烈本經止言朮不分蒼

白朮宜兩審○陳士良曰昔人用朮不分赤白自宋以來始言蒼朮苦辛氣烈白朮苦甘氣和各自施用亦頗有理○啓益按近清來者相合于本草原始所圖雲頭朮及雞腿朮是最上好白朮也又有川朮片朮川朮者出蜀川地片朮者剖開暴乾本邦藥肆謂之削白朮其性功漸劣顧蒼白二朮雖種類相同氣味形狀別物也　本邦古今以根之嫩老分別蒼白是蒼朮種類而非真白朮可代用蒼朮而不可代白朮然僻壤寒鄉市人不至多得之則以嫩根充白朮以老根爲蒼朮亦可

或以老根為白朮以嫩根為蒼朮者甚誤也

蒼朮　別録

別録曰苦温無毒○甄權曰甘辛○時珍曰甘而辛烈

性温而燥陰中陽也可升可降入手足太陰陽明所忌

同白朮

別録曰主頭痛消痰水逐皮間風水結腫除心下急滿

及霍亂吐下不止暖胃消穀嗜食○弘景曰除惡氣弭

災沴○甄權曰主大風瘴痺腹痛水腫下泄冷痢○大

明曰治筋骨軟弱山嵐瘴氣温疾○東垣曰除濕發汗

健胃安脾治痿要藥○完素曰明目暖水藏○丹溪曰散風益氣治濕上中下皆有可用又能總解諸鬱○時珍曰治濕痰及脾濕下流濁瀝帶下滑瀉腸風○楊氏家藏方曰治蟲積好食生米○楊士瀛曰脾精不禁小便漏濁淋不止腰背酸疼宜用蒼朮以斂脾精精生于穀故也○薛己曰散風寒濕氣瘴溫無分表裏療重痛於身首散結腫於皮膚最能發汗消積滯而除腹脹其性本燥長於治濕然氣味辛烈除上焦濕氣之功尤切米水浸炒佐以黃柏健行下焦治股足濕熱之妙劑也

又曰大抵心腹脹痛必有濕實邪者用之則邪散而濕除即寬若虛悶痛者用之則耗其氣血燥其津液虛火益動而愈悶不知調其正氣則悶自是而散矣○東垣曰蒼朮別有雄壯上行之氣能除濕下安太陰使邪氣不傳入脾也以其經泔浸火炒故能出汗與白朮止汗特異用者不可以此代彼蓋有止發之殊其餘主治則同○元素曰蒼朮與白朮主治同但比白朮氣重而體沈若除上濕發汗功最大若補中焦除脾胃濕力少不如白朮腹中窄狹者須用之○嘉謨曰消痰結窠囊辟

瘴疫時氣歐痃癖氣塊止心腹疼痛因氣辛烈竄衝發汗除上焦濕其功最優○本草新編曰蒼朮之妙全在善于發汗其効勝于白朮凡發汗之藥未有不散人真氣者蒼朮發汗雖亦散氣終不甚也虛人感邪欲用風藥散之者不若用蒼朮為更得蓋邪出而正又不大傷汗出而陽又不甚越也○本草徵要曰按蒼朮與白朮功用相似補中遜之燥性過之無濕者便不敢用況于燥症乎○時珍曰張仲景辟一切惡氣用赤朮同豬蹄甲燒烟陶隱居亦言朮能除惡氣弭災沴故今病疫及

歳且人家往往焼蒼朮以辟邪氣類編載越民高氏妻病恍惚譫語亡夫之鬼憑之其家焼蒼朮烟鬼遽求去夷堅志載江西一士人為女妖所染其鬼將別曰君為陰氣所侵必當暴泄但多服平胃散為良中有蒼朮能去邪也○ 啓益 毎治邪祟病妖氣既去而後仍以平胃散煎湯服拉邪鬼之丸散則下黒糞而清快 本邦祝由家謂之下巣否則妖氣再侵屢試如言○夏子益曰治臍蟲怪病濃煎湯浴之仍以末入麝香服○ 啓益嘗治一男子怪病歳三十五時行温熱病愈後遍身頻為

餅臭生小蟻虫如八脚蟲病其痒難忍沐浴更衣隨而撥之隨則生用蒼朮煎湯浴之平胃散加沈香石菖蒲煎入雄黄末少許服四貼而其病減少半旬餘而全愈又治一男子歳半百両乳腫硬乳房出血沾染衣衫拭去則止少焉而後出飲食起居如常用蒼朮二錢當歸五分煎服三箇月而二年之病愈又治一室女歳十九臍中出膿汁臭如抱壞雞子三月而止爾後臍中生毛数百莖而如髪毛其長寸餘去之則應手而抜出經一両日復生如故苦一年所蒼朮細末每一錢用干正氣

天香湯煎湯服之兩月其病全愈又治一小女八歲遍身出怪物其形如蛆無頭尾長半寸或一寸其色白如燈心出腠理中而不知其竅暫時而化爲水如是者半年用蒼朮鷓鴣菜二味煎服兩月其病全愈此四人治驗共傚夏子益臍蟲怪病治例而用蒼朮有神效蓋天地之間事理廣大無邊悉難究窮故曰聖知不徧物況於凡才乎然適從前哲之說而自非開發新意則何以得通曉其理乎今蒼朮治怪病也未載諸本草夏氏初出此說余亦引伸觸類而治怪病取效後生之士豈可

不思乎○ 啓益 常治濕瘡臁瘡出汁不乾者用平胃散為末加輕粉少許貼之立瘥是雖異內外燥濕解熱之功相同

宗奭曰須米泔浸洗再換泔浸二日去粗皮用○ 啓益 常修製清來者浸米泔一宿去粗皮再浸泔水半日出油膏細切焙用 本邦藥肆多浸米泔二三日削淨修飾如是則泄味不可

啓益 顧清來者氣剛烈多油膏剉而藏畜藥囊則生白黴是非真黴烈氣之發出也不經熟製則發嘔吐致腹

痛脾胃虚弱人不宜故常用不如 本邦者然若治濕熱邪氣時行瘟疫等非辛烈之氣何以除之以清來者爲良

本草新編曰或疑蒼朮之功不及白朮遠甚何神農本草不分別耶不知蒼朮與白朮原是兩種以神農首出之聖智豈在後人下哉是必分辨之明矣因傳世久遠疊遭兵火散失不存耳今經後人闡發甚精不可同治病也既彰彰矣又何二朮之不分用哉 ○啓益顧朮不分蒼白者昔人混淆而為一物然寇宗奭謂陶弘景始

分之陳士良謂自宋以來始分之陳士鐸謂神農既分而為兩種諸說終不歸一按仲景之方有赤朮則其名既出于漢寇陳之說未詳所據也蓋太古之淳質術不廣于事智不周于物以二朮種類相似混而為一物漸至于漢始分之設如士鐸言則諸藥應悉備于神農氏奚止三百六十五種而已耶夫自別録至于綱目所載一千餘種皆後人闡發者也且言傳世久遠散失不存之書則惟限于蒼朮胡為使簡古而不備者悉托兵火不傳之義乎今詳之則蒼白種類相同而為別物也不

証故時珍謂將本經別録甄權大明四家所説功用參校分別各自附方予亦倣此例以分蒼白而拆裹諸論云

藥籠本草卷之上本

特1
1916

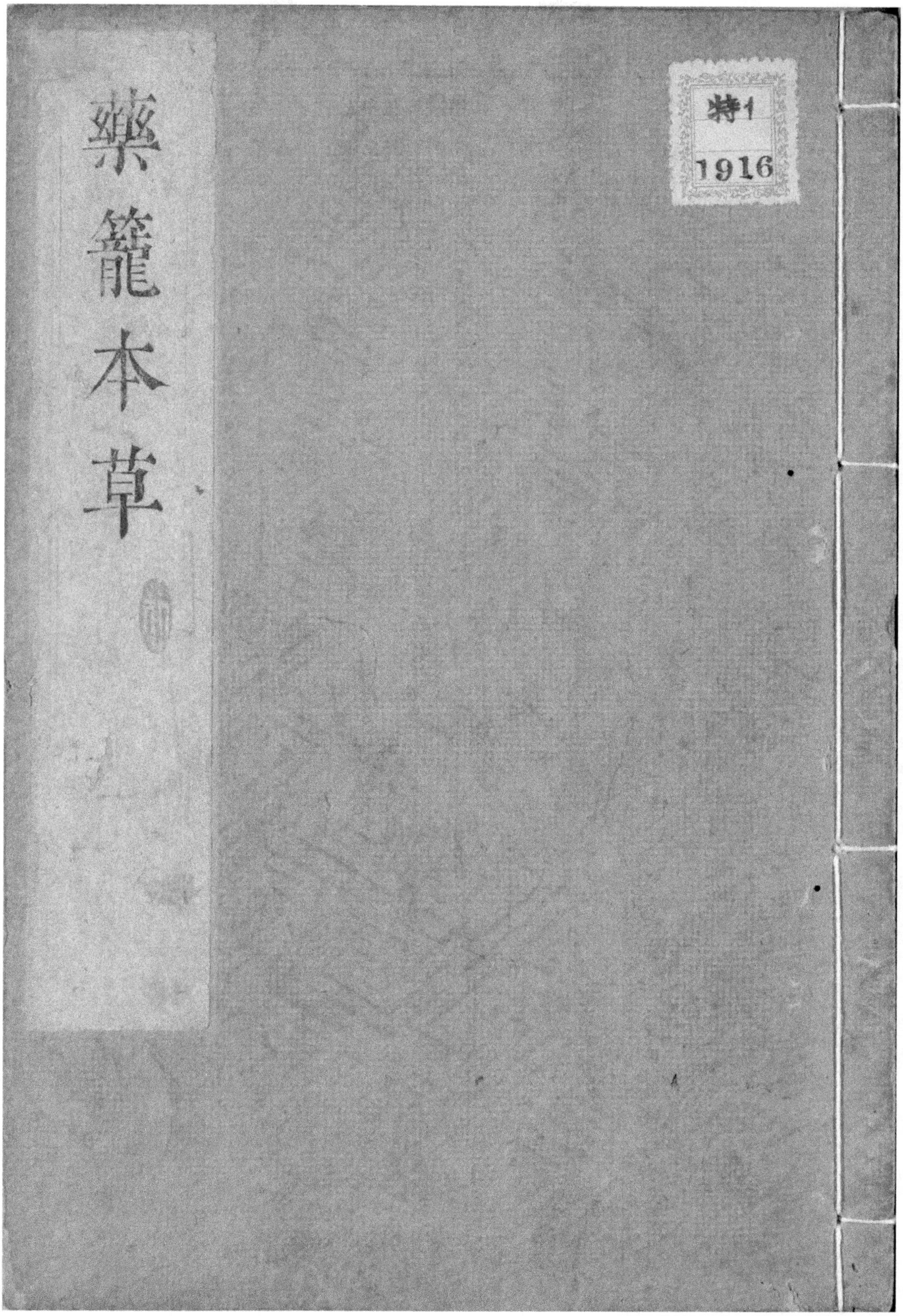
藥籠本草
特1
1916

藥籠本草卷之上　末

當歸　本經中品

本經曰苦温無毒○別録曰辛大温○東垣曰甘辛温無毒氣厚味薄可升可降陽中微陰入手少陰足太陰厥陰血分○之才曰惡䕡茹濕麪畏菖蒲海藻牡蒙生薑制雄黄

本經曰主咳逆上氣温瘧寒熱洗洗在皮膚中婦人漏下絶子諸惡瘡瘍金瘡○別録曰温中止痛除客血内塞中風痓汗不出濕痺中惡客氣虚冷補五藏生肌肉

○甄權曰止嘔逆虛勞寒熱下痢腹痛齒痛女人瀝血腰痛崩中補諸不足○大明曰治一切氣補一切勞破惡血養新血及癥癖腸胃冷○好古曰主痿癖嗜臥足下熱而痛衝脉爲病氣逆裏急帶脉爲病腹痛腰溶溶如坐水中○時珍曰治頭痛心腹諸痛潤腸胃筋骨皮膚治癰疽排膿止痛和血補血○東垣曰配黄芪治肌熱燥熱困渴引飲目赤面紅晝夜不息其脉洪大而虛重按全無力此血虛之候也得於飢困勞役證象白虎但脉不長實爲異耳誤服卽死○啓益常用上方治瘡

瘡灰白癢痒者有効◎普濟方曰與吳茱萸共炒去萸丸服治久痢不止◎張氏備急方曰與川芎黑炒乾薑同童便酒煎服治胎死口噤欲死者◎王貺曰用上方加荊芥尤効◎聖惠方曰與荊芥同用治産後中風不省人事立効甚者加附子川芎紅花又曰加麝香傳之治小兒臍疾欲成臍風立効一方加胡粉◎陳承曰古方用治産後惡血上衝取効無急於此凡氣血昏亂者服之即定可以補虚備産後要藥也◎宗奭曰藥性論補女子諸不足盡當歸之用矣◎蕭京曰性主動補中

有行行中得補雖非純補亦賛行功也○元素曰其用有三一心經本藥二和血三治諸病夜甚凡血受病必須用之血壅而不流則痛當歸之甘温能和血辛温能散内寒苦温能助心散寒使氣血各有所歸○薛己曰血結滯而能散血不足而能補血枯燥而能潤血散亂而能撫此全體之能也折而論之各有優劣根升而稍降身緩而守中善走者長於活血之効善守者長於養血之功氣血皆亂服之即定諸血症皆用當歸但流通而無定由其味帶辛甘而氣暢也重能補血耳隨所引

到而各有用焉與白朮芍藥生熟地同用則能滋陰補腎與川芎同用能上行頭角治血虛頭痛再入芍藥木香少許生肝血以養心血同諸血藥入以薏苡川芎牛膝則下行足膝而治血不榮筋同諸血藥入以人參川烏烏藥薏苡之類則能營於一身之表以治一身筋寒濕痛◎東垣曰頭止血上行身養血而守中尾破血而下流全活血而不走◎嘉謨曰按正傳云當歸能逐瘀血生新血使血脉通暢與氣並行周流而不息因以為名然而中半已上氣脉上行天氣主之中半已下氣脉

下行地氣主之身則獨手中而不行也人身之法象亦猶是焉故瘀血在上焦與上焦之血少則用上截之頭瘀血在下焦與下焦之血少則用下截之尾若欲行中焦瘀血與補中焦血虛則用中截之身匪獨當歸為然他如黃芩防風桔梗柴胡亦皆然也○好古曰入手少陰以其心生血也入足厥陰以其肝藏血也入足太陰以其脾裹血也同人參黃芪則補氣同牽牛大黃則行氣而破血從桂附茱萸則熱從大黃芒硝則寒○本草彙言曰用之涼血非配生地芩連不能涼用之止血非

配地榆烏梅薑炭不能止用之破血非配稜桂朮桃不能破用之清血非配蒲黃山梔不能清○李挺醫學入門曰引以川芎細辛則治血虛頭痛眼痛齒痛合芍藥木香則治痢合柴胡鱉甲則定寒熱而除溫瘧合陳皮半夏則能止嘔合遠志酸棗則能養心定悸○汪機曰治頭痛酒煮服清取其浮而上也治心痛酒調末服取其濁而半沈半浮也治小便出血用酒煎服取其沈入下極也自有高低之分如此王海藏言當歸血藥如何治胸中欬逆上氣按當歸其味辛散乃血中氣藥也況

欬逆上氣有陰虛陽無所附者故用血藥補陰則血和而氣降矣〇薛己曰當歸地黄戀膈引痰如上焦痰嗽者忌之又曰大便泄者不宜用以活血助瀉故也〇仲淳曰一切脾胃病惡食不思食及食不消並禁用

雷斆曰凡用去蘆頭酒浸一宿〇薛己曰行表酒洗片時行上酒漬一宿痰盛薑汁漬宜曝乾〇本草徵要曰入吐血劑中須醋炒之〇啓益按先以水洗淨去蘆剉日乾十分灌無灰酒潤透再日乾乘熱收甕中紙封甕口則不蛀不黴又有火炒者有香臭而泥膈發嘔必勿

用
時珍曰秦歸頭圓尾多色紫氣香肥潤者名馬尾歸最
勝他處頭大尾粗色白堅枯者為鑱頭歸止宜入發散
藥爾韓悉言川產者力剛而善攻秦產者力柔而善補
是矣◯啓益按本邦當歸較中華之物則味甘而氣
薄如脾胃虛弱中焦血燥及泄痢膿血等病宜用之清
來者味辛而氣厚如產後脫血金瘡失血鼻衄亡血等
病宜用之所謂善攻善補者依氣味厚薄而分之本
邦售者較利采根煮沸湯日晒乾以假紫潤不堪入藥

冬月採根水洗淨日乾則香氣不失性味甚勝　李邦
處處有之産大和山城者最好

芎藭　本經上品

本經曰辛温無毒○元素曰辛苦氣厚味薄浮而升陽
也少陽本經引經藥入手足厥陰氣分○之才曰白芷
為之使畏黄連伏雌黄

本經曰主中風入腦頭痛寒痺筋攣緩急金瘡婦人血
閉無子○别録曰除腦中冷動面上遊風去來目淚出
多涕唾忽忽如醉諸寒冷氣心腹堅痛中惡卒急腫痛

腸風痛温中内寒○大明曰一切風一切氣一切勞損一切血補五勞壯筋骨調衆脉破癥結宿血養新血吐血鼻血溺血腦癰發背瘰癧癭贅痔瘻瘡疥長肉排膿消瘀血○甄權曰腰脚軟弱半身不遂胞衣不下○好古曰搜肝氣補肝血潤肝燥補風虛○時珍曰燥濕行氣開鬱○弘景曰含之治齒根出血及口臭○之才曰得細辛療金瘡止痛得牡蠣療頭風吐逆○靈苑方曰驗胎法川芎生爲末空心煎艾湯服一匕腹内微動者是有胎不動者非也○啓益　常用此法屢試不差益艾

葉止血固胎用此煎湯保護胎氣用川芎辛散破血之藥則微覺胎動而不到墮胎是立方之妙用也○元素曰上行頭目下行血海故清神及四物湯皆用之能散肝經之風治少陽厥陰經頭痛及血虛頭痛之聖藥也其用有四爲少陽引經一也諸經頭痛二也助清陽之氣三也去濕氣在頭四也○東垣曰頭痛必用川芎如不愈加各引經藥太陽羌活陽明白芷少陽柴胡太陰蒼术厥陰吳茱萸少陰細辛是也○丹溪曰鬱在中焦須撫芎開提其氣以升之氣升則鬱自降故撫芎總解

諸鬱直達三焦為通陰陽氣血之使○時珍曰血中之氣藥也肝苦急以辛補之故血虛者宜之辛以散之故氣鬱者宜之○薛己曰四物湯用之者特取辛溫而行血藥之滯爾滯行而新血亦得以養非真用此辛溫走散之劑以養下元之血也其能止頭痛者正以其有餘者能散不足者能引清血歸肝而下行也○蕭京曰性主竄行多補少但質畧潤非燥烈之比也○本草新編曰可君可臣可為佐使但不可單用必須以補氣補血之藥佐之則利大而功倍倘單用一味以補血則血動

反有散失之憂單用一味以止痛則痛止轉有暴亾之慮若與參芪朮苓同用以補氣未必不補氣以生血也與當歸熟地山茱麥冬白芍同用以補血未必不生血以生精也所虞者同風藥並用耳可暫而不可常中病則已又何必久任哉又曰于散中能補既無瘀血之憂又有生血之益妙不在補而在散也 ○宗奭曰沈括筆談云一族子舊服川芎醫鄭叔見之曰芎藭不可久服多令人暴死後族子果無病而卒又朝士張子通之妻病腦風服芎甚久一旦暴亾皆目見者此皆單服既久則

走散真氣若使他藥佐使又不久服中病便已則焉能至此哉○天民曰骨蒸多汗及氣弱人不可久服其性辛散令真氣走泄而陰愈虚也

李挺曰凡使水洗細剉畧炒或蒸或生用○啓益按宜生用不宜炒蒸失香氣也

宗奭曰凡用以川中大塊裏色白不油嚼之微辛甘者佳也○啓益按清來者多經久故必蛀不任用葉有大小大者氣薄即撫芎小者氣烈即川芎也

芍藥　本經　中品

本經曰苦平無毒○別録曰酸微寒有小毒○元素曰氣厚味薄升而微降陽中陰也○東垣曰可升可降陰也○薛己曰入手足太陰經及足厥陰經沒藥烏藥雷丸為之使○之才曰須丸為之使惡石斛芒硝畏磁石鼈甲小薊反藜蘆○禹錫曰別本須丸作雷丸啓益按須丸代赭石之異名也

本經曰主邪氣腹痛除血痺破堅積寒熱疝瘕止痛利小便益氣○別録曰通順血脉緩中散惡血逐賊血去水氣利膀胱大小腸消癰腫時行寒熱中惡腹痛腰痛

○甄權曰治藏府擁氣強五藏補腎氣治時疾骨蒸婦人血閉不通能蝕膿○大明曰女人一切病胎前産後諸疾治風補勞退熱除煩益氣驚狂頭痛目赤明目腸風瀉血痔瘻發背瘡疥○好古曰理中風治脾虛中滿心下痞脇下痛善噫肺急脹逆喘咳太陽衄衂目濇肝血不足陽維病苦寒熱帶脉病苦腹痛滿腰溶溶如坐水中○痘疹方曰爲末酒服治痘疹腹痛者○事林廣記曰治魚骨哽咽○元素曰其用九六安脾經一也治腹痛二也收胃氣三也止瀉痢四也和血脉五也固腠

理六也○丹溪曰芍藥瀉脾火性味酸寒冬月必以酒炒又曰惟治血虛腹痛餘並不治為其酸收無濕散之功也又曰產後不可便用者以酸寒伐發生之氣也必不得已亦酒炒用也○薛己曰產後用之於大補八珍等湯內以酒拌炒無妨凡脾胃虛弱面色痿黃者亦宜酒拌炒用○東垣曰或以酸濇為收本經何以言利小便曰芍藥能益陰停濕而滋津液故小便自行非因通利也又曰損其肝者緩其中即調血也故四物湯用芍藥○薛己曰酸寒乃收斂之劑其云可升須以酒浸用

之以借升發也與白朮同用則能補脾與川芎同用則能瀉肝與蒼朮同用則能補氣抑且以收歛之酸寒和濕熱之熾盛則濕熱自是而釋矣然須得炙甘草爲佐夏月腹痛少加黄芩惡熱痛加黄蘗惡寒痛加肉桂○時珍曰同人參補氣同當歸補血同甘草止腹痛同黄連止瀉痢同防風發痘疹同薑棗温經散濕○成無已曰赤者瀉白者補白者收赤者散○本草新編曰能瀉能散能補能收赤白相同無分彼此其功全在平肝肝平則不尅脾胃而藏府各安大小便自利火熱自散欝

氣自除，癰腫自消，堅積自化，瀉痢自去，痛痢自安矣。益善用之，無往不宜，不善用之，亦無大害。如世人畏用，恐其過于酸收，引邪入內也。此不識芍藥之功，惟求芍藥之過，所以黃農之學不彰，天下而夭札之病世世難免也。予不得不出而辨之。夫人死于疾病者，色慾居其半，氣欝居其半。縱色慾者，肝經之血必虧，血虧則木無血養，木必生火以尅脾胃之土矣。脾胃一傷，而肺金受刑，何能制肝？木寡于畏而仍來尅土，治法必須滋肝以平木，而滋肝平木之藥，舍芍藥之酸收，又何濟乎？況氣欝者其平日腎經之水原未必大足以生肝木一且又遇拂抑則肝氣必傷夫肝屬木善揚而不善抑者也今既拂抑而不舒亦必下尅于脾土脾土求救于肺金因肝木之旺腎水正虧欲顧子以生水正不能去尅肝以制水而木氣又因拂抑之來更添惱怒何日是坦懷之日乎治法必須解肝木之憂鬱肝舒而脾胃自舒脾胃舒而各經皆舒也舍芍藥之酸又何物可以舒肝乎是肝腎兩傷必資于芍藥亦明矣然而芍藥少用之徃徃難奏效蓋肝木惡急遽以酸少濟之則肝木愈急而木旺

者不能平肝鬱者不能解必用至五六錢或八錢或一兩大滋肝中之血始足以慰其心而快其意而後虛者不鬱也然則芍藥之功用如此神奇而可以酸收置之乎况芍藥功用又不止二也與當歸並用治痢甚効與甘草並用止痛實神與梔子並用脇痛可解與蒺藜並用目疾可明且也與肉桂並用則可以祛寒與黃芩並用則可以解熱與參芪並用則可以益氣與芎歸熟地並用則可以補血用之補則補用之瀉則瀉用之散則散用之收則收要在人善用之焉得以酸收二字而輕

置之哉○宗奭曰血虚及老人禁服故曰減芍藥以避中寒○仲淳曰凡中寒腹痛中寒作泄腹中冷痛腸胃中覺冷等証忌之

雷斅曰凡采得竹刀刮去皮并頭上剉細以蜜水拌蒸○時珍曰今人多生用避中寒者以酒炒入女人血藥以醋炒○薛己曰酒炒則纔妙若補虚酒浸日曝勿見火

陳承曰今世多用人家種植者乃欲其花葉肥大必加糞壤因利以為藥根雖肥大而香味不佳入藥少効○

薛已曰有赤白紅三種今之市者皆水紅種並非真芍藥也

赤芍藥

薛已曰氣味行經同於白芍藥

蘓恭曰利小便下氣○聖濟總録曰與甘草同煎嗽治木舌腫痛○薛已曰能瀉肝家火故暴赤眼者或洗或服皆當用赤芍又能消癰腫破堅積○本草新編曰或疑芍藥赤白有分而先生無分赤白又何所據而云然哉夫芍藥之不分赤白非創説也前人已先言之矣且

世人更有以酒炒之者皆不知芍藥之妙也夫芍藥正取其寒以涼肝之熱奈何以酒製而使之溫耶既恐白芍藥之涼益宜用赤芍之溫矣何以世又尚白而不尚赤也總之不知芍藥之功用而妄為好惡不用赤而用白不用生而用熟也不大可哂哉○啓益顧芍藥本經不分赤白陶弘景始言赤者俗方止痛白者道家服食後世明醫之言赤者入血分白者入氣分赤者利小便下氣白者止痛散血白者能補赤者能瀉然士鐸不惟分赤白是不知芍藥之功用也蓋本經不分赤白者太

古不精于物理猶术苓不分赤白然凡天地間物悉無不備陰陽之理色有赤白者色之陰陽也質有剛柔者質之陰陽也性有寒温者性之陰陽也能有攻補者能之陰陽也是以古聖觀色質而定其性能因性能以治其病故术苓分赤白黄花雞冠亦別二種而各奏功能豈可惟芍藥不分赤白而混淆其功用且禁酒製乎殊不知薛己有言酒炒則纔妙纔之一字自存微妙之義是恐士鐸之偏見乎或疑如吾子之言則如牡丹桔梗亦然乎未聞二物因花色而異功用予曰牡丹桔梗性

效一偏而不預補瀉是以不拘花色而盡其效耳○啓益按宜山野產然難得市人皆用家產宜單辨之根赤白隨花色雖有千單樓子之異皆可雜駁色者勿用近清來者堅硬而如角是非生質蒸曝而堅之也　本邦售者多出于信濃國或曰此物花葉共如單瓣芍藥而微異土人謂之都知阿計此即草芍藥也

生地黃　本經上品

本經曰甘寒無毒○甄權曰平○時珍曰鮮用則寒乾用則涼○好古曰甘苦寒氣薄味厚沈而降陰也入手

足少陰厥陰及太陽經○雷斅曰忌銅鐵器○之才曰得清酒麥門冬良惡貝母畏蕪荑○孫真人曰不可與萊菔同食令人髮白為其澁營衛也○甄權曰忌葱蒜諸血○薛已曰忌萊菔能耗諸血見之則無補血之功○啓益按甄權忌法有諸血疑是耗諸血之脫字乎因薛已之說而可也

本經曰主傷中逐血痺塡骨髓長肌肉作湯除寒熱積聚除痺療折跌絕筋久服輕身不老生者尤良○別録曰治男子五勞七傷女子傷中胞漏下血破惡血溺血

利大小腸去胃中宿食飽力斷絕補五藏內傷不足通
血脉益氣力利耳目○大明曰助心膽氣強筋骨長志
安魂定魄治驚悸勞劣心肺損吐血鼻衄婦人崩中血
運○甄權曰產後腹痛久服變白延年○元素曰涼血
生血補腎水真陰除皮膚燥去諸濕熱○好古曰主心
病掌中熱痛脾氣痿蹷嗜臥足下熱而痛治齒痛唾血
○薛己曰生新血能補真陰兼行瘀血除五心之煩熱
然其性大寒胃氣涉虛者不可輕用性大寒較熟地則
宣通而不泥滯實熱者當用老人津液枯竭大腸結燥

便不潤者皆當用又實脾藥中薑製用二三分以固脾氣使脾家永不受邪東垣言其瀉脾土之濕熱濕熱除則脾氣固矣但不可多用恐其大寒以倒脾氣爾又曰生地黄能生血用麥門冬引入所生之地○好古曰脉洪實者宜用生地脉虛者宜熟地○王碩易簡方曰男子多陰虛宜用熟地黄女子多血熱宜用生地黄

生地黄汁

別録曰大寒○薛己曰甘苦無毒陰也降也○好古曰入手少陰又爲手太陽之劑

別録曰治婦人崩中血不止及産後血上薄心悶絶傷身胎動下血胎不落墮墜跌折瘀血留血鼻衄吐血皆搗飲之○梅師方曰與白膠香同治吐血○子母秘録曰治小兒蟲痢○張文仲備急方曰療牙齒挺長○甄權曰解諸熱通月水利水道擣貼心腹能消瘀血虛而多熱者宜加用之○好古曰錢仲陽瀉丙火與木通同用以導赤也諸經之血熱與他藥相隨亦能治之溺血便血皆同○劉禹錫曰崔抗女患心痛垂絶作地黄冷淘食便吐一物狀如蝦蟇遂愈

時珍曰本經所謂乾地黃者乃陰乾日乾火乾者故云生者尤良別録又云生地黃者乃新掘鮮者故其性大寒其熟地黃乃後人復蒸晒者也諸家本草皆指乾地黃為熟地黃雖主治證同而涼血補血之功稍異○啓益按中華醫以乾地黃為熟地黃本邦醫指乾地黃為生地黃如生汁少用之蓋生汁性大寒如治溫毒癉熱初發瘧癖打撲傷損漏胎吐血諸熱症其効尤捷然濕物而不得蓄干藥籠宜以乾地黃代生汁故今以乾地黃為生地黃而附生地黃汁別出熟地一條

熟地黄

元素曰甘微苦微温無毒味厚氣薄陰中之陽入手足少陰厥陰經忌蘿蔔葱蒜諸血

元素曰補血氣滋腎水益真陰去臍腹急痛病後脛股酸痛○本草纂要曰與鹿茸五味子人參乳粉白茯苓同治小兒齒牙不生○元素曰得牡丹皮當歸和血生血涼血滋陰補髓○薛己曰療新產後腹痛之難禁退虚熱而潤燥補敗血而調經益其性能泥膈膈氣不利者宜活法而斟酌○好古曰坐而欲起目䀮䀮無所見

又曰假火力蒸九數故補腎中元氣仲景八味丸以之為諸藥之首天一所生之源也湯液四物湯治藏血之臟以之為君者癸乙同歸一治也◎薛已曰補腎之聖藥也雖云補五藏内傷要唯補腎之功居多故滋陰補腎丸用之為君益腎主骨髓本草云能填骨髓長肌肉胞漏下血與腰痛臍下痛等候俱腎氣不足也皆補之性頗塞泥滯故用醇酒洗過或用薑汁炒或同附子用不惟行滯乃能引導入腎故下元衰者須之尺脉微者桂附相宜尺脉旺者以黄蘗知母兼用則滋陰降火補

腎此劑泥滯胸膈不宜獨用◎易簡方曰熟地黃能補
精血用天門冬引入所補之處◎景岳全書曰熟地黃
兼温劑始能回陽何也以陽生於下而無復不成乾也
然而陽性速故人参少用亦可成功陰性緩熟地非多
難以奏效◎張氏醫通曰須知八味十全平調氣血湯
液性味易過地黃與人参並用畧無妨礙六味丸中切
不可雜一味中焦藥如人参白朮甘草之類咸非所宜
昔人有以六味丸加参而服下咽少頃輙作迷迷不爽
或令增麥門五味功力倍常深得金水相生之妙用◎

仲淳曰凡陰虛咳嗽內熱骨蒸或吐血等候一見脾胃
薄弱大便不實或天明腎泄產後不食俱禁用凡胸膈
多痰氣道不利者亦忌之
元素曰酒蒸則微溫而大補治外治上須酒制○時珍
曰薑汁浸則不泥膈酒制不妨胃鮮用則寒乾用則凉
又曰近時造法揀取沈水肥大者以好酒入縮砂仁末
在內拌勻柳木甑於瓦鍋內蒸令氣透晾乾再以砂仁
酒拌蒸晾如是九蒸九晾乃止蓋地黃性泥得砂仁之
香而竄合和五藏冲和之氣歸宿丹田故也○蕭京曰製

練之要須蒸晒至二十餘次擘開中有黑油如堅玉氣味耳香者方可用亦不必用酒浸過方蒸蓋酒經蒸晒則成酸酢之味不為佳俟臨用時先一夜切碎如荳大以酒潤之次早畧蒸片晌使两物匀和酒氣尚存藥氣益香動與胃合易干運行此雷斆炮製之微義不可不留心也○啓益　顧地黄修製居多珍京二氏之法足以為徵然如縮砂製者因其人因其病宜審好否而用之如水蒸者不易化熟且經久則生白黴及蟲蛆如臨用時新製者雖便運行若虚損人不能任其氣而泥滯胸膈

不可一槩為定式也近世庸醫及販兒不解九蒸九晒之義謾言地黄不成熟奈大寒變温性乎而浸酒數日漫火蒸煮一晝夜或一晝夜蒸煮過度精汁流出而死其性味非所宜今詳之則以肥大者浸醇酒一宿用文武火畧蒸一時許取出晒乾再潤醇酒半日復蒸半時許如是數次則酒氣漸漸透潤俟黑而如漆耳而如飴十分日乾藏陶壺中則不黴不蛆其謂九蒸九晒者為其欲成熟也蓋九者取老陽之數勿必拘仲梓之説九蒸過度宜七蒸是亦不免拘于數者譬猶畫工為彩色

以稀薄粉泥塗之數遍則漸漸起其色瑩潔而自有精神以厚濃粉泥塗之不數回則雖起色黯黮而無精神令如地黃之製屢經蒸晒則其精力尚存不可不知

大明曰生者浸水驗之浮者天黃半浮半沈者人黃沈者地黃入藥沈者佳也○　啓益按　本邦處處有之以大和山城國產為最上生鮮時沈水者尤良乾後多皆能沈水近清來者東合數根蜜黏調而使其形實大是宿根而不新根味苦耳不任入藥也

茯苓　本經上品

本經曰甘平無毒○元素曰性温味甘而淡氣味俱薄浮而升陽也○東垣曰陽中陰降也○薛己曰入足少陽經○好古曰入手太陰足太陽氣分○之才曰惡白斂畏牡蒙地楡雄黃秦艽龜甲忌米醋及酸物○馬志曰馬藺爲之使

本經曰主胸脇逆氣憂恚驚邪恐悸心下結痛寒熱煩滿欬逆口焦舌乾利小便久服安魂養神不飢延年○別録曰止消渇好睡大腹淋瀝膈中痰水水腫淋結開胸腑調藏氣伐腎邪長陰益氣力通神而致靈和魂而

鍊魄利竅而益肌厚腸而開心調營而理衛上品仙藥也◎甄權曰開胃止嘔逆善安心神主肺痿痰壅心腹脹滿小兒驚癇女人熱淋◎大明曰補五勞七傷益志止健忘煖腰膝安胎◎好古曰瀉膀胱益脾胃治腎積奔豚◎元素曰開腠理生津液除虛熱止瀉也如小便利或數者多服則損目汗多人服之亦損元氣夭人為其淡而滲也◎薛己曰或謂陰虛未為相宜以其滲淡也不知氣重者主氣味重者助血茯苓雖滲淡而其味尚甘于陰虛者亦無害也況佐人參等補劑下行亦能

補陰虛而固腎矣○東垣曰逐水緩脾導氣平火利竅而除濕益氣而和中小便多者能止小便結者能通淡利竅茸助陽乃除濕行水之聖藥也○好古曰小便多能止澁能利與車前子相似雖利小便而不走氣與朱砂同用能秘真元味茸平如何是利小便耶○丹溪曰仲景利小便多用之此暴新病之要藥也若陰虛者恐未為宜此物有行水之功久服損人八味丸用之者亦不過接引他藥歸就腎經去胞中舊陳積垢為搬運之功爾○時珍曰本草言利小便伐腎邪至東垣海藏乃

言小便多者能止濇者能通同朱砂能祕眞元而丹溪又言陰虛者不宜用義似相反何哉茯苓氣味淡而滲其性上行生津液開腠理滋水之原而下降利小便故潔古謂其屬陽浮而升言其性也東垣謂為其陽中之陰降而下言其功也◎張三丰茯苓賛云形質塊磊芳香清潔幽潜深邃恬憺勿烈體陽用陰充氣貫脉能泄能收勿寒勿熱通神攝魂守志養魄中空可實中滿可缺◎啓益 顧茯苓性功本草所説既詳審然有未盡其理者蓋茯苓生松下松樹經千年而不朽修聳千尺合

抱十圍其葉青青經四時而不凋萬木中之悠久者故仙經所謂千歲松樹其精化而為青牛伏龜其壽千歲矣如今諸草木伐之枝幹則根株生氣上發却為繁茂惟松樹伐之則枝葉不復生發根精未絕精英未漏精氣發泄埋于土中多年而為塊無朽無蛀自得坤厚之精英茯者伏也伏結之義苓者靈也神靈之義是乃木中之佳物而不可思議之靈藥也其功表而開發裏而洩利中而和緩在于補而主補在于瀉而主瀉服食仙家之要藥也久服則安魂養神不飢延年矣如人參芪亦

偏于補而有妨于實如茯苓味耳淡而無妨于補瀉故古今方藥中不問補瀉多用此物也王微張丰共作之贊亦有故哉

雷斅曰凡用去皮心搗細于水盆中攪濁浮者濾去茯苓赤筋若誤服餌損人目瞳

赤茯苓

元素曰入手太陽○好古曰入足太陰手少陰太陽氣分

甄權曰破結氣○時珍曰瀉心小腸膀胱濕熱行水○

元素曰赤瀉白補上古無此說益淡爲天之陽陽當上行何以利水而瀉下氣薄者陽中之陰所以利水瀉下不離陽之體故入手太陽○時珍曰弘景始言茯苓赤瀉白補李杲復分赤入丙丁白入壬癸此其發前人之秘者時珍則謂茯苓茯神只當云赤入血分白入氣分各從其類如牡丹芍藥之義不當以丙丁壬癸分也若以丙丁壬癸分則白茯神不能治心病赤茯苓不能入膀胱矣張元素不分赤白之說于理欠通

茯神

別録曰甘平無毒○仲淳曰入手足少陰手太陽陽明經陽中之陰也○嘉謨曰所忌畏惡悉同茯苓

別録曰辟不祥療風眩風虚五勞口乾止驚悸多恚怒善忘開心益智安魂魄養精神○甄權曰主驚癇安神定志補虚乏療心下急痛堅滿虚而小腸不利者加而用之○王璆曰與人参沈香則治心神不定恍惚健忘不樂○薛己曰定上氣之亂益心氣之虚○時珍曰神農本草止言伏苓名醫別録始添伏神而主治皆同後人治心病必用伏神故潔古曰風眩心虚非伏神不能

除然茯苓亦未嘗不治心病也○本草徵要曰茯神抱根而生有依守之義故魂不守舍者用以安神赤入丙丁但主導赤而已

禹錫曰廣志言茯神乃松汁所作勝於茯苓或云即茯苓貫著松根者

嘉謨曰經註有曰松木既樵根尚能生物者何也盖因精英未淪沾其土氣不能不為物爾正猶馬勃菌蕈五芝木耳石耳之類多生枯木潤石糞土之上則可知焉

○啓益按茯苓所在有之採藥家即于多年樵斫之松

根及大松四邊以鐵頭錐刺地而試之乃掘取之不俟
用篝燭之法又有一種蕨茯苓是蕨精所化而不出于
松精或說此物非蕨精所化生往昔此地有松樹而所
化生顧夫草木有凝汁者多生塊磊猶楓樹生猪苓竹
根生雷丸如蕨根有凝汁而為塊也必矣又適有掘蕨
根而得真茯苓故漫紊真茯苓葢蕨苓掘地一二尺而
得之色理不堅白輕浮而小塊氣味淡中帶苦性澁滯
不可入藥本草不言有蕨苓　本邦醫知之稀也予親
見之採藥家亦分別之不可不審

陳皮 本經上品

本經曰苦辛温無毒〇薛已曰去白者性熱留白者性温入足陽明太陰〇東垣曰氣薄味厚陽中之陰可升可降爲脾肺二經氣分藥

本經曰主胸中瘕熱逆氣利水穀久服去臭下氣通神〇别録曰止嘔欬治氣衝胸中吐逆霍亂療脾不能消穀止洩除膀胱留熱停水起淋利小便去寸白蟲〇甄權曰清痰涎治上氣咳嗽開胃主氣痢破癥瘕痃癖〇寗原曰能散能瀉能補能和順氣理中療酒病〇時珍

曰治反胃噎雜時吐清水痰痞痃瘧療婦人乳癰○仲景曰與生姜同治傷寒并一切噦嘔手足逆冷者○啓益常用上方加人参竹茹有効○東垣曰留白則補脾胃去白則理肺氣同白朮則補脾胃同甘草則補肺獨用則瀉肺損脾其體輕浮一能導胸中寒邪二破滯氣三益脾胃加青皮減半用之去滯氣推陳致新但多用久服能損元氣也○時珍曰苦能泄能燥辛能散溫能和同補藥則補同瀉藥則瀉同升藥則升同降藥則降但隨所配而補瀉升降也同杏仁治大腸氣閟同桃仁

治大腸血閟皆取其通滯也○嘉謨曰同竹茹治呃逆因熱同乾薑治呃逆因寒止脚氣衝心除膀胱留熱○薛己曰與白朮半夏同用則滲濕而健脾胃與蒼朮厚朴同用則能去中脘以上至胸膈之邪而平胃氣再加葱白麻黄之類則能散肉分至皮表有餘之邪也大抵能散能泄之用居多如藥中多用人參以此同入定不飽脹中燥之人少服○蕭京曰理脾化氣非補脾益氣也留白為橘皮尚能和中以白性耳緩也去白為橘紅則專乎降氣消痰為剝削之物矣降因滯氣升消因痰

壅盛惟升則降之盛則消之降之消之有滯氣痰壅則
病受之若夫脾虧作滯脾虚生痰便當君以参朮療本
恐緊用橘紅半夏二陳之屬則徒耗損真氣故先哲以
六物必用陳者政為新性暴烈洩真之故耳
薛己曰隔年者方可用○嘉謨曰近冬赤熟薄皮細紋
新採者名橘紅○啓益謂嘉謨之説非也古方書皆言
去白者橘紅也去白則氣味辛烈如嘉謨之説則橘紅
橘皮無分其性奈不言紅橘而言橘紅乎古人雖為六
陳之一遠舊者不必宜隔年者良

時珍曰今人多以小柑小柚小橙亂之橘皮性温柚皮柑皮性冷柑皮猶可用柚橙皮則懸絶不可不擇○啓益按中華　本邦共稱橘者一種也　本邦俗謂之蜜柑取辨味甘甜之義柑者　本邦俗謂之乆年母蜜柑形圓小皮薄而紅也柑形扁大皮厚而黄也韓彦直橘譜柑品有八橘品有十四　本邦亦其種類居多以柑橘辨為食料好果入藥須用蜜柑皮他橘不須混用或說蜜柑者柑也稱橘者白輪柑子也今出遠州此誣說不可信用近見清來者辨味皮味與　本邦者相同而

其形圓大而耳今築紫國往往植之而愛賞其果本
邦古來以蜜柑充橘皮而奏其効未聞用自輪柑子者
不可不詳

青皮

元素曰苦辛溫無毒氣味俱厚沈而降陰也入足厥陰
手少陽經○嘉謨曰氣寒味厚陰中之陽
蘇頌曰氣滯下食破積結及膈氣○元素曰破堅癖散
滯氣去下焦諸濕治左脇肝經積痃癖○醫林集要曰
治傷寒嘔逆聲聞四隣者○蕭京曰與肉桂同用治傷

果食者○嘉謨曰久瘧熱甚必結癖塊俗云瘧母宜多服清脾湯內有青皮疏利肝邪則癖自不結○東垣曰破滯削堅皆在下之病有滯氣則破滯氣無滯氣則損真氣○丹溪曰多怒有滯氣脇下有鬱積或婦人乳岩或小腹疝疼用之疏通肝膽行其氣也若二經虛者當先補而後用之○湯液本草曰陳皮治高青皮治低與枳殼治胸膈枳實治心下同意○楊仁齋曰小兒消積多用最能發汗有汗者不可用○嘉謨曰切勿過服恐損真氣老弱虛羸尤當全戒○時珍曰青橘皮古無用

者至宋時始用之陳皮浮而升入脾肺氣分青皮沈而降入肝膽氣分一體二用物理自然也

時珍曰以湯浸去瓤切片拌醋尾炒過用○啓益按浸水半日去白微炒用之則有氣烈而破滯結之功醋製者取止收而軟堅積之義然虛弱人及婦人小兒不任醋臭之氣而多為嘔噦宜斟酌而可矣

李中立曰頭破裂者俗呼四花青皮凡用以此為勝

半夏　本經下品

本經曰辛平有毒○元素曰性温氣味俱薄沈而降陰

中之陽○好古曰生微寒熟温辛厚苦輕陽中之陰入足陽明太陰少陽○本草微要曰入手少陰○之才曰射干為之使惡皂莢畏雄黄生薑乾薑秦皮龜甲反烏頭○甄權曰柴胡為之使忌羊血海藻飴餹

本經曰主傷寒寒熱心下堅胸脹欬逆頭眩咽喉腫痛脹鳴下氣止汗○別録曰消心腹胸脇痰熱滿結上氣心下急痛堅痞時氣嘔逆消癰腫療痿黄悦澤面目墮胎○甄權曰消痰下肺氣開胃健脾止嘔吐去胸中痰滿生者摩癰腫除瘤癭氣虚而有痰氣宜加用之○大

明曰治吐食反胃霍亂轉筋腸腹冷痰瘧○蘇頌曰胃冷嘔噦方藥之最要○元素曰治寒痰及形寒飲寒傷肺而欬除胸寒和胃氣燥脾濕治痰厥頭痛消腫散結○好古曰治肝風虛○丹溪曰治眉稜痛○成無己曰辛者散也潤也半夏之辛以散逆氣結氣除煩嘔發音聲行水氣而潤腎燥○本草彙言曰與膽星天麻同研末當歸湯下之治諸病因痰流入筋絡成痓者○肘後方曰入鼻中治產後暈絕○子母秘録曰治五絕用上方心温者可活○錢相公篋中方曰塗之治蝎蠆螫○

啓益 毎治蜈蚣及蜂螫塗生汁立瘥○宗奭曰今人惟知去痰不言益脾蓋能分水故也脾惡濕濕則濡困困則不能治水○好古曰半夏治痰泄痰之標非泄痰之本本者腎也經曰腎主五液化為五濕濕痰者因欬而動脾之濕也半夏除濕故泄痰之標也欬無形痰有形無形則潤有形則燥所以為流濕潤燥也○汪機曰俗以半夏性燥有毒多以貝母代之貝母乃肺經之藥半夏乃脾胃二經之藥何可代也夫欬嗽吐痰虚勞吐血或痰中見血諸欝咽痛喉痺肺癰肺痿癰疽婦人乳難此

皆貝母為向導半夏乃禁用之藥脾胃濕熱氣蒸為涎涎化為痰久則見諸壞症此非半夏曷可治乎若以貝母代之則反滋濕滯翹首待斃矣○時珍曰脾無濕不生痰故脾為生痰之源肺為停痰之器半夏之治痰為其體滑辛溫也涎滑能潤辛溫能散亦能潤故行濕而通大便利竅而泄小便所謂辛走氣能化液辛以潤之是矣丹溪言能使大便潤而小便長成無已謂行水氣而潤腎燥局方半硫丸治老人虛秘皆取其滑潤也俗以半夏為燥不知濕去則土燥痰涎不生非其性燥也

但恐非濕熱之邪而用之是重竭其津液誠非所宜○李中立曰主治最多莫非脾濕之症苟無濕者均有禁例古人半夏有三禁所謂血家汗家渴家也若無脾濕且有肺燥誤服悔不可追○好古曰俗以半夏為肺藥非也以止吐為足陽明以除痰為足太陰小柴胡中雖為止嘔亦助柴胡主惡寒是又為足少陽也助黃芩主去熱是又為足陽明徃來寒熱在表裏中故用此有各半之意○元素曰熱痰佐以黃芩風痰佐以南星寒痰佐以乾薑濕痰佐以陳皮白朮多用則瀉脾胃口渴者

禁用為其燥津液也○薛己曰惟氣性發渴者不忌益動火上盛而熱氣調則動火亦伏而不渴矣固非津液虚耗及火邪作燥而有妨於半夏也○趙繼宗曰丹溪言二陳湯治一身之痰世醫執之凡有痰者皆用夫二陳内有半夏其性燥烈若風痰寒痰濕痰食痰則相宜至于勞痰失血諸痰用之反能燥血液而加病○蕭京曰性燥久服亦能潰消脾之真氣必惟因濕生熱因熱生痰用之則宜亦只宜暫宜少未有脾胃健而濕熱能為患者也奈何世之醫者每以二陳舉為常用扶脾之

品竟不分脾陰脾陽有濕無濕屬虛屬實且曰王道如是甚至陰虛勞嗽金水俱敗尚亦妄用之吁昧哉○元素曰孕婦忌用恐胎墮如不得已用之加薑汁炒過則無害

弘景曰凡用以湯洗十許過令滑盡不爾有毒戟咽喉方中有半夏必須用生薑以制其毒故也○雷斅曰若洗涎不盡令人氣逆肝氣怒滿○時珍曰全治半夏汉湯泡浸七日逐日換湯眼乾切片薑汁拌焙入藥或研末以薑汁入湯浸澄三日瀝去涎水晒乾用謂之半夏

粉或研末以薑汁和作餅子日乾用謂之半夏餅或末
以薑汁白礬湯和作餅楮葉包置籃中待生黄衣日乾
用謂之半夏麹○嘉謨曰片則力峻麹則力柔○啓益
按半夏修法古來居多是皆謂生半夏之製今採藥家
掘取洗土氣浸水數日晒乾賈售販兒亦欲清潔浸米
泔水晒之數白而飾色始古法製則多殺其性非所宜
常用洗水煮之五七沸切而試之候外圏半熟中心半
白而入冷水洗去皮垢及滑黏細切眼乾拌薑汁炒過
佳如他製須因其病故白飛霞所謂治濕痰以薑汁白

礬湯和之治風痰以薑汁及皂莢煮汁和之治火痰以薑汁竹瀝或荊瀝和之治寒痰以薑汁礬湯入白芥子和之此皆造麴好法也

厚朴　本經中品

本經曰苦温無毒○元素曰氣温味苦辛氣味俱厚體重濁而微降陰中之陽○東垣曰可升可降○本草徵要曰甄權云苦辛大熱應是辛熱苦温之藥辛熱太過則其性宜有毒以其得陽氣之正故無毒耳氣味俱厚陽中之陰降也入足太陰手足陽明經○之才曰乾薑

為之使惡澤瀉滑石寒水石忌豆食之則動氣
本經曰治中風傷寒頭痛寒熱驚悸氣血痺死肌去三
蟲○別錄曰溫中益氣諸痰下氣療霍亂及腹脹胃中
冷逆胸中嘔不止洩痢淋露除驚去留熱心煩滿厚腸
胃○大明曰健脾治反胃霍亂轉筋冷熱氣瀉膀胱及
五藏一切氣産前産後腹藏不安殺腸中蟲明耳目調
關節○甄權曰治積年冷氣腹內雷鳴虛吼宿食不消
去結水破宿血化水穀止吐酸水大溫胃氣治冷痛主
虛而尿白○湯液本草曰主肺氣脹滿膨而喘欬專去

邪氣○保赤全書曰與檳榔烏梅同治蟲積甚者加使君子○梅師方曰與紅花桃仁同治月水不通○好古曰本經云治中風傷寒頭痛溫中益氣消痰下氣厚腸脹滿果泄氣乎果益氣乎若與枳實大黃同用則能泄實滿本經謂消痰下氣者是也若與橘皮蒼朮同用則能除濕滿本經謂溫中益氣者是也與解利藥同用則治傷寒頭痛與瀉痢藥同用則厚腸胃太抵苦溫用苦則泄用溫則補○宗奭曰平胃散中用之最當調中既溫脾胃又走冷氣再隨證加減妙不可勝言○丹溪曰

屬土而有火其氣温能瀉胃中之實故主腹脹也平胃散用之佐以蒼朮正爲瀉上焦之濕平胃土不使大過以致於中和而已若以温補而泛用之非也○東垣曰苦能下氣故泄實滿温能益氣故能散濕滿有滯氣則洩滯氣無滯氣則泄元氣○元素曰其用有三平胃一也去腹脹二也孕婦忌之三也雖除腹脹若虚弱人宜斟酌用之誤服脱人元氣惟寒脹大熱藥中兼用乃結者散之神藥也○丹溪曰若氣實人誤服參芪致成喘悶者宜此瀉之○薛已曰春夏秋常用冬間及氣弱人

與胃中無實邪脹氣者不可服○本草徵要曰脾虛之人勿切沾脣或一時未見其害而淸純中和之氣潛傷黜耗可不信哉

宗奭曰味苦不以薑製則棘人喉舌○雷斅曰凡使味辛者為良○大明曰去粗皮用薑汁炙或浸炒過用弘景曰極厚紫色為好皮薄而白者不佳

升麻 本經上品

本經曰苦平微寒無毒○元素曰性温味辛微苦氣味俱薄浮而升陽也為足陽明太陰引經的藥得葱白

白芷亦入手陽明太陰○好古曰味薄氣厚陽中之陰
本經曰解百毒殺百精老物殃鬼辟瘟疫瘴氣邪氣蠱
毒入口吐出中惡腹痛時氣毒癘頭痛寒熱風腫諸毒
喉痛口瘡久服不夭輕身延年○大明曰安魂定魄鬼
附啼泣疳䘌遊風腫毒○甄權曰小兒驚癇熱壅不通
療癰腫○元素曰解肌肉間風熱療肺痿咳唾膿血能
發浮汗○好古曰牙根浮爛惡臭太陽鼽衄爲瘡家聖
藥○時珍曰治陽陷眩運胸脇虛痛久泄下痢後重遺
濁帶下崩中血淋下血陰痿足寒○直指方曰或煎或

含治喉痺急速醋炒共人参蓮肉治禁口痢○肘後方曰豌豆瘡天行病斑瘡頭面及遍身須臾周匝如火燒不治數日死洗之立瘥○啓益按此病本邦俗名火瘡與黄連連翹共煎服外用此湯洗之有神効不速治則遍身焦燒而死○東垣曰引葱白散手陽明風邪引石膏止陽明齒痛参芪非此引之不能上行○潔古曰補脾胃藥非此為引用不能取効脾痺非此不能除其用有四手陽明引經一也升陽氣於至陰之下二也去至高之上及皮膚風邪三也治陽明頭痛四也○東垣

曰發散陽明風邪升胃中清氣又引甘温之藥上升以補衛氣之散而實其表故元氣不足者用此於陰中升陽又緩帶脉之縮急凡胃虚傷冷鬱遏陽氣於脾土者宜升麻葛根湯以升散其火鬱◯好古曰升麻葛根湯乃陽明發散藥若初病太陽症便服之發動其汗必傳陽明反成其害也◯時珍曰升麻引陽明清氣上行柴胡引少陽清氣上行此乃禀賦素弱元氣虚餒及勞役飢飽生冷内傷脾胃引經最要藥也升麻葛根湯乃發散陽明風寒藥也時珍用治陽氣鬱遏及元氣下陷諸

病時行赤眼每有殊効神而明之方可執泥乎一人素飲酒因寒月哭每受冷遂病寒中兼懷怫欝此饑飽勞逸内傷元氣清陽陥遏不能上升所致也用升麻葛根湯合四君子湯加柴胡蒼术黄芪煎服諸症如掃大抵人年五十以後其氣消者多長者少降者多升者少秋冬之令多而春夏之令少若禀受弱而有前諸證者並宜此藥活法治之素問云陰精所奉其人壽陽精所降其人夭千古之下窺其奥而闡其微者張潔古李東垣二人而已外此則著參同契悟真篇者肯與此同也○

局方曰升麻葛根湯痘疹已發及未發疑似之間並服○時珍曰能解痘毒惟初發熱時可用解毒痘已出後氣弱或泄瀉者亦可少用其升麻葛根湯則見斑後必不可用為其解散也○本草新編曰升麻但必須同氣血藥共用可佐使而亦不可以為君臣世人慮其散氣不敢多用是也然而亦有宜多用之時本草如綱目經疏尚未及言況他書乎夫升麻之可多用者發斑之症也凡熱不太甚必不發斑惟其內熱之甚故發出于外而皮毛堅固不能遽出故見斑而不能驟散也升麻原

非退斑之藥欲退斑必須解其內熱解熱之藥要不能外玄参麥冬與芩連梔子之類然玄参麥冬與梔子能下行而不能外走必藉升麻以引諸藥出皮毛而斑乃盡消倘升麻少用不能引之出外勢必熱走于內而盡趨于大小腸矣夫火性炎上引其上升者易於散任其下行者難於解此所以必須多用而火熱之毒隨玄参麥冬與芩連梔子之類而行盡消化也大約玄参麥冬用至一二兩者升麻可多用至五錢少則四錢三錢斷不可止用數分與一錢已也又曰或問升麻與犀角過

殊何以古人有無犀角用升麻代之之語以升麻犀角同屬陽明也然否夫升麻雖與犀角同屬陽明而仲景夫子用升麻以代犀角非特為其同陽明也犀角地黃湯所以治肺經之火也犀角引地黃以至于肺而升麻亦能引地黃以至于肺也肺與大腸為表裡清肺而大腸陽明之火自降瘀血從大便而出是升麻清肺正所以清陽明也○虞天民曰升麻能令清氣從右而上達柴胡能使清氣從左而上達○吳昆曰補中益氣湯用升麻柴胡者升清陽之氣於地道也益天地之氣一升

則萬物皆生一降則萬物皆死觀乎天地之升降而用二味之意從而可知矣○本草徵要曰入升陽散火湯治陽鬱過及元氣不足陽氣下陷○薛己曰為元氣不足者用此於陰中升陽非也惟陽氣下陷者可用此升提之若元氣不足者升之則下虛而元氣益不足矣令人中氣驟升不可多服○仲淳曰凡云茸者其氣必和升則必散和而散故主中惡腹痛時氣毒癘頭痛寒熱風腫諸毒喉痛口瘡者手少陽足陽明太陰熱極也散三經之火則二證愈矣未識久服不夭輕身長年此豈

發散之藥所能哉無是理也○李中立曰屬陽性升凡吐血鼻衄欬嗽多痰陰虛火動氣逆嘔吐怔忡癲狂切勿誤投○范石湖曰蠱毒在上用升麻吐之在腹用鬱金下之或合二物服之不吐則下○時珍曰解毒吐蠱者蓋以其爲陽明本經而性又上升故也

弘景曰形細而黑極堅實者爲第一細削皮青綠色者亦佳謂之雞骨形虛大黃色味薄不堪用○時珍曰今人惟取裏白外黑而堅實者謂之鬼臉升麻去鬚及頭蘆剉用○啓益按今清來者裏白外黑堅剛而有鬚中

古本邦醫鹵莽而不能辨藥物眞贋多任山野採藥家今稱升麻者許多或鳥足草宇多賀草春雪草水引草之類皆非眞物藝花家名粟穗又名水筆者此即眞鬼臉升麻而形色氣味俱勝合清來者掘取山野而用之築紫方言呼花蠟燭又稱藪川芎者是也近來採藥家多植家園培養糞土故其形肥大輕虛雖爲眞物不堪藥用不止升麻如牡丹芍藥山藥等亦宜山野之自然生而不宜家園植物也

柴胡 本經上品

本經曰苦平無毒○別錄曰微寒○元素曰氣味俱輕
陽也升也手足少陽經藥○東垣曰陰中之陽手足厥
陰引經藥○之才曰半夏爲之使惡皂莢畏女菀藜蘆
本經曰治心腹腸胃中結氣飲食積聚寒熱邪氣推陳
致新久服輕身明目益精○別錄曰除傷寒心下煩熱
諸痰熱結實胸中邪氣五藏間遊風大腸停積水脹及
濕痺拘攣亦可作浴湯○甄權曰治熱勞骨節煩疼熱
氣肩背疼痛勞乏羸瘦下氣消食宣暢氣血主時疾內
外熱不解○大明曰補五勞七傷除煩止驚益氣力消

痰止嗽潤心肺添精髓健忘◯元素曰除虛勞散肌熱
去早晨潮熱寒熱往來膽癉産前産後諸熱心下痞胸
脇痛◯時珍曰治陽氣下陷頭痛眩運目昏赤痛障瞖
耳聾耳鳴及肥氣寒熱婦人熱入血室小兒痘疹餘熱
五疳羸熱◯東垣曰能引清氣而行陽道傷寒外諸有
熱則加之無熱則不加又能引胃氣上行升騰而行春
令者宜加又凡諸瘧以柴胡爲君隨所發時所在經分
佐以引經之藥十二經瘡疽中須用柴胡以散諸經血
結氣聚功與連翹同也◯好古曰入足少陽在經主氣

在藏主血惟氣之微寒味之薄者也故能行經亦胎前
產後必用之藥也經脉不調小柴胡加四物并秦艽牡
丹皮治之最効產後積血佐巴豆三稜攻之即安○薛
己曰陽道升而陰道降又何氣血經脉之不順且調哉
○宗奭曰本經並無一字治勞令人治勞方中鮮有不
用者凡此誤世甚多嘗原病勞有一種真藏虛損復受
邪熱因虛而致勞故曰勞者牢也當須斟酌用也又治
傷寒熱爲最要之藥○時珍曰勞有五勞病在五藏若
勞在肝膽心及包絡有熱或少陽經寒熱者則柴胡乃

手足厥陰少陽必用之藥也惟勞在肺腎者不用可爾宗奭不分臟府經絡有熱無熱乃謂柴胡不治勞乏一槩擯斥殊不知非通論又能治勞瘵蓋熱有在皮膚在臟府在骨髓非柴胡不可○景岳全書曰柴胡之性善泄善散所以大能走汗大能泄氣斷非滋補之物凡病陰虛水虧而孤陽勞熱者不可再損營氣蓋未有用散而不泄營氣者未有動汗而不傷營血者營即陰也陰既虛矣當堪再損其陰否然則用柴胡以治虛勞之熱者果亦何所取義耶觀寇氏衍義有辨其意專在邪熱

二字謂但察有邪無熱以決可用不可用此誠得理之見而復有非之者抑又何也即在王海藏亦曰苟無實熱而用柴胡不死何待凡此所見畧同用者不可不察

○本草新編曰入于表裏之間自能通達經絡故可為佐使而不可為君臣性又輕清微寒所到之處春風和氣善於解紛所以用之無不宜也然世人正因其用無不宜無論可用不可用動而用之如陰虛勞瘵之類亦終日煎服耗散真元內熱更熾全然不悟不重可悲乎夫柴胡止可解鬱熱之氣而不可釋骨髓之炎也能入

干裡以散邪不能入干裡以補正能提氣以升干陽使参芪歸术共健脾而開胃不能生津液以降於陰使麥冬丹皮同益肺以滋腎能入於血室之中以去其熱不能入於命門之内以去寒無奈世人妄用柴胡以殺人也余所以深辨之耳◯又曰傷寒要藥柴胡之症雖多而其要在寒熱之往來邪居干半表半裡之言盡之矣用柴胡顧半表半裡也又何誤用哉◯郭佩蘭曰瘧証有熱時如火形瘦骨立者此名勞瘧熱從髓出加剛劑氣血愈虧非柴胡不愈也◯東垣曰欲上升則用根欲

中及下降則用稍○本草新編曰輕清而升苦寒而降
升下脊降濁陰性惟疎散凡病肝鬱憤悶不平者服之
最靈
汪機曰解散用北柴胡虛熱用軟柴胡為良○時珍曰
銀州柴胡長尺餘而微白且軟不易得也北地所産者
亦如前胡而軟今人謂之北柴胡是也近時有一種根
似桔梗沙參白色而大市人以偽充銀柴胡殊無氣味
○本草彙言曰有銀柴胡北柴胡軟柴胡三種之分銀
柴胡出關西諸路色白而鬆形長似鼠尾北柴胡出山

東諸路色黑而細密形短如蒂軟柴胡出海陽諸路色黑而短軟一名三種也氣味雖皆苦寒而俱入少陽厥陰然又有別也銀柴胡清熱治陰虚内熱也北柴胡清熱治傷寒邪熱也軟柴胡清熱治肝熱骨蒸也其出處生成不同其形色長短黑白不同其功用内外兩傷主治不同胡前人混稱一物謾無分理日華子所謂補五勞七傷治久熱羸瘦與經驗方治勞熱青蒿煎丸少佐柴胡言銀柴胡也衍義云本經並無一字治勞方中用之鮮有不誤者言北柴胡也然又有真臟虚損原因肝

鬱血閉成勞虚因鬱致熱由鬱成軟柴胡亦可相機而用如傷寒方有大小柴胡湯仲景氏用北柴胡也脾虚勞倦用補中益氣湯婦人肝鬱勞弱用逍遥散青蒿煎丸少佐柴胡俱指軟柴胡也業醫者當明辨而分治可也

雷斅曰去鬚及頭用銀刀削皮赤薄皮少許以粗布拭淨剉用勿令犯火立便無效也〇啓益按入解熱劑則宜生用治虚熱則宜酒焙清來者尤良然畜藏遠舊而多蛀不堪用　本邦有稱鎌倉柴胡者形狀氣味同中

華者又藥肆有河原柴胡者味苦有毒牛馬誤食之則病勿用俗說河原柴胡解大熱之効尤速然治虛熱之功及升提之劑决而勿用河原柴胡綱目所謂鼠白草乎又有鞾牛柴胡即猫草根也俱非真柴胡勿用

前胡 別錄中品

別錄曰苦微寒無毒○甄權曰甘辛平○發明曰入足厥陰陽明手太陰○時珍曰氣微平陽中陰降也手足太陰陽明之藥○之才曰半夏為之使惡皂莢畏藜蘆

別錄曰治痰滿胸脇中痞心腹結氣風頭痛去痰下氣

治傷寒寒熱推陳致新明目益精◎大明曰一切氣破
癥結開胃下食通五臓主霍亂轉筋骨節痛煩悶反胃
嘔逆氣喘咳嗽安胎小兒一切疳氣◎甄權曰能去實
熱及時氣內外俱熱◎時珍曰清肺熱化痰熱散風邪
◎王燾曰治小兒夜啼◎弘景曰治療殆欲同柴胡本
經有柴胡而無此晚來醫乃用之◎時珍曰前胡主降
與柴胡上升者不同氣降則痰亦降矣安胎化食無非
下氣之力耳弘景言其與柴胡同功非矣證治雖同而
所入所主則異◎本草彙言曰妊娠發熱飲食不甘小

兒發熱瘡疹未形大人痰熱逆氣隔拒此邪氣壅閉在腠理之間也俱能治之○又曰前胡去寒痰半夏去濕痰南星去風痰枳實去實痰蔞仁治燥痰貝母麥門治虚痰黄連天花粉治熱痰者各別也○仲淳曰治氣實風痰凡陰虚火動之痰及不因外感而有痰者當禁之

別録明目益精厥理亦謬

雷斅曰凡使勿用野蒿根與之甚相似只是味麁酸若誤用令人反胃不受食○啓益按前胡采藥家多失其時故香氣薄形質不實色黄黒秋冬際取收之則最好

米泔洗乾剉用

藥籠本草卷之上終

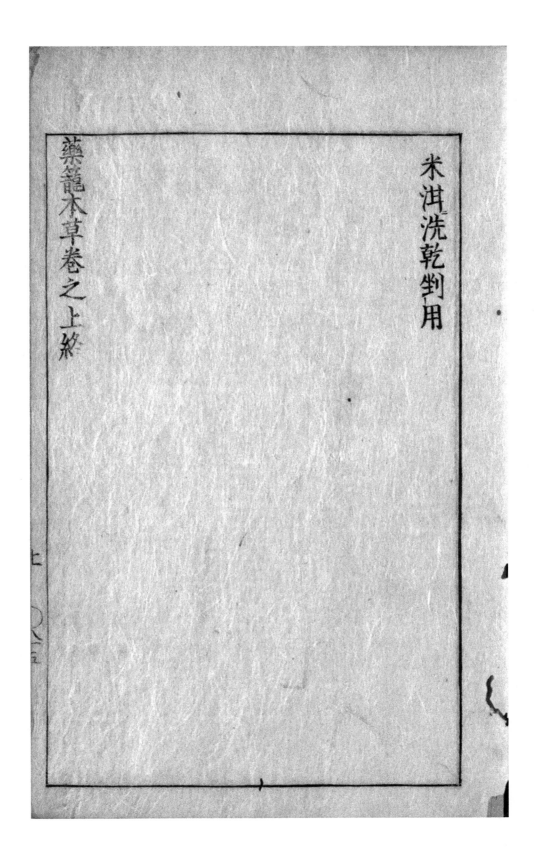

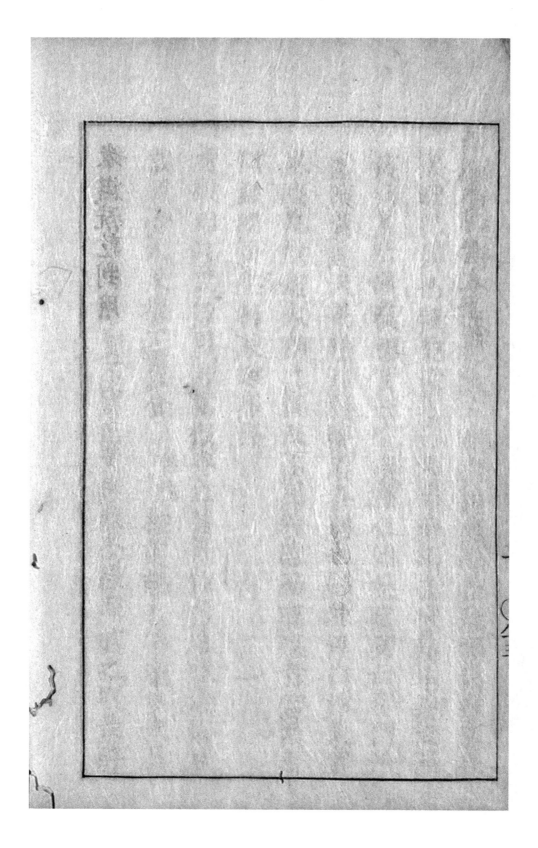

特1
1916

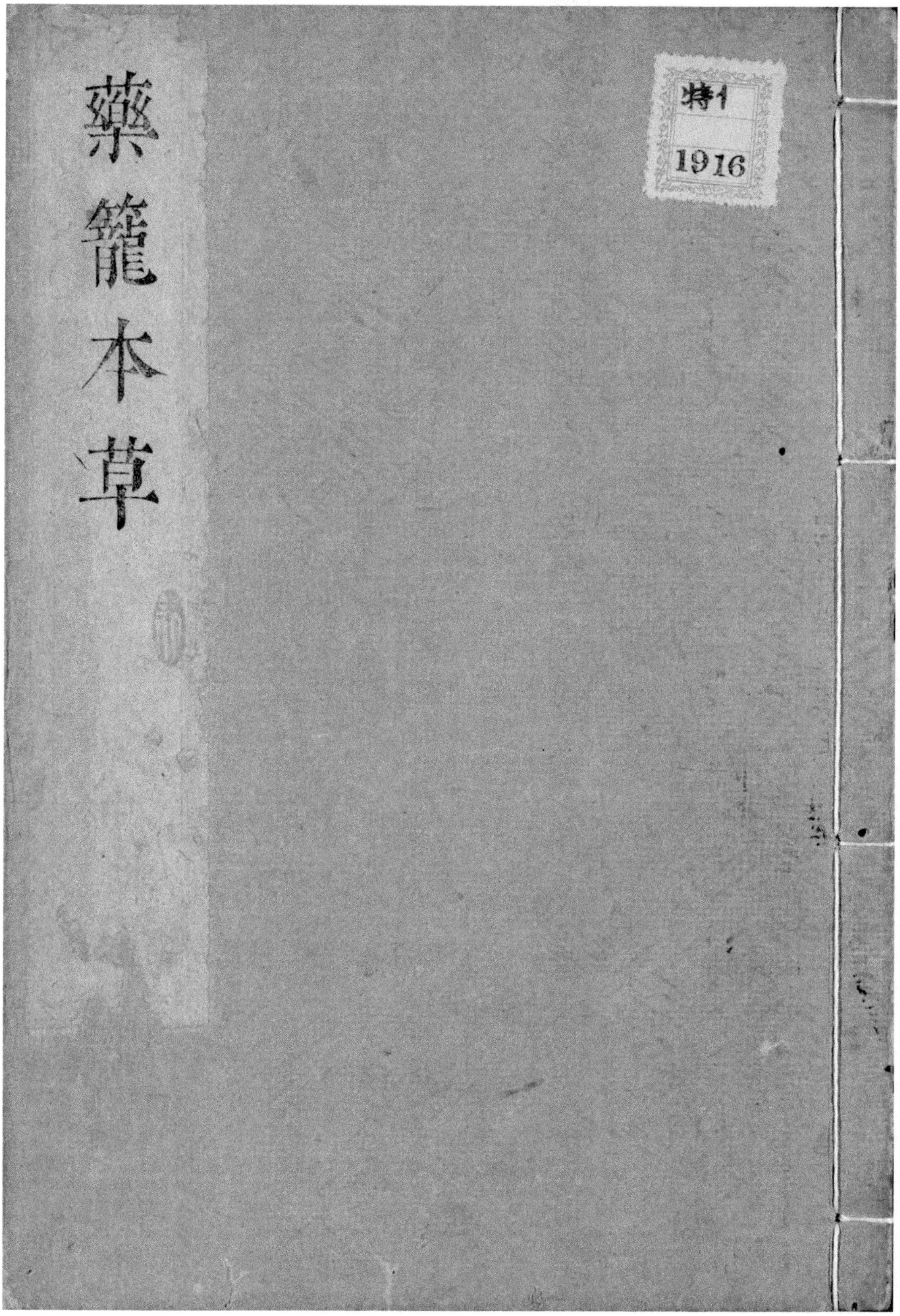
藥籠本草
特1
1916

藥籠本草卷之中

牛山香月啓益著
姪　景山香月玄洞泰
門人東庵綾部玄岫訂

本經

防風　上品

本經曰甘温無毒◯別録曰辛◯元素曰味辛而甘氣温氣味倶薄浮而升陽也手足太陽經之本藥◯好古曰足陽明太陰行經之藥◯之才曰畏萆薢殺附子毒惡藜蘆白斂乾薑芫花

本經曰治大風頭眩痛惡風風邪目盲無所見風行周身骨節疼痛久服輕身○別録曰煩滿脇痛風頭面去來四肢攣急字乳金瘡内痓○大明曰治三十六般風男子一切勞劣補中益神風赤眼止冷淚及癱瘓通利五藏關脉五勞七傷羸損盗汗心煩體重能安神定志匀氣脉○元素曰瀉肺實散頭目中滯氣經絡中留濕主上部見血○好古曰搜肝氣○元素曰氣温而浮治風通用除上焦在表風邪仙藥故誤服瀉人上焦元氣可見上焦有實風邪者方可用之又用身去身半已上

風用稍去身半已下風邪○東垣曰治一身盡痛乃卒
伍卑賤之職隨所引而至乃風藥中之潤劑也若補脾
胃非此引用不能行凡脊痛項強不可回顧腰似折項
似拔者乃手足太陽證亦當用防風凡瘡在胸膈已上
雖無手足太陽症亦當用之為能散結去上部風病人
體拘倦者風也諸瘡見此證亦須用之錢仲陽瀉黄散
中倍用防風者乃於土中瀉木也○本草徵要曰瘡科
多用之為其風濕交攻耳○之才曰得葱白能行周身
得澤瀉藁本療風得當歸芍藥陽起石禹餘糧療婦人

子藏風○經驗後方曰與天南星童便同治破傷中風○易簡方曰與川芎人參同治盜汗○啓益常用此方加黄芪當歸有奇効○千金方曰解烏頭天雄芫花毒○經驗方曰與蒲黄同治血崩○本草彙言曰治瘖疹不透發與西河柳同代茶用之○仲淳曰同黄芪芍藥則能實表止汗同麻黄紫蘇則治風寒欝於腠理皮膚緻密無汗入羌活湯兼除太陽經傷風寒頭痛若入大風癘風藥中須加殺蟲活血藥乃可○本草彙言曰隨引而效如無引經之藥亦不能獨奏其功故與芎芷上

行治頭目之風與羗獨下行治腰膝之風與當歸治血
風與白朮治脾風與蘇麻治寒風與芩連治熱風與荊
栢治腸風與乳桂治痛風及大人中風小兒驚風○仲
淳曰其云主目無所見者因中風邪故不見也煩滿者
亦風邪客於胸中故煩滿也風寒濕三者合而成痺祛
風燥濕故主痺也發散之藥焉可久服其曰輕身亦濕
去耳○啓益按諸家本草解防風之功能也皆言長于
治風濕之能專于發散而耗真氣亡陰血本經言久服
則輕身大明言治一切勞劣補中益神五勞七傷補羸

損止盜汗安神定志顧失防風稟天地純陽之氣以生有升發之性而通利五藏關節及經絡營衛故謂風藥中之潤劑是以獨用則治風濕從補藥則扶助其功力以通行營衛走入五藏得黃芪則發達其表益肺氣以治羸損盜汗得參朮歸芎則補脾胃益陰氣而治一切勞劣得遠志石菖蒲禹餘糧陽起石則通利心關而安神定志如大明之言則精干佐使之功而失於獨用之能仲淳解本經曰非久服之藥其辦不及大明之言今用防風者主風濕則須為君臣從補益則須為佐使如

是則防風之功用思過半矣○仲淳曰至如産後血虛發痙及痿躄者頭痛不因于風寒寒濕者及陰虛盜汗陽虛自汗者諸證法宜禁用

嘉謨曰去蘆及釵股○弘景曰叉頭發狂叉尾發痼疾弘景曰以實而脂潤頭節堅如蚯蚓頭者爲好○吳綬曰以黃色而潤者爲佳白者多沙條不堪用○ 啓益按清來者和俗謂之筆防風宜用 本邦古來稱防風者乃防葵也此謂木防風或謂削防風又有濱防風是亦防葵之種類或說 本邦近出眞防風吻合于本草原

始之圖倭俗所謂山人参是也

羌獨活 本經上品

本經曰苦甘平無毒○之才曰豚實為之使○弘景曰藥無豚實恐是蠹實也

本經曰羌獨活風寒所擊金瘡止痛奔豚癇痓女子疝瘕久服輕身耐老○別録曰療諸賊風百節痛風○大明曰治一切風幷氣筋骨酸疼頭旋目赤疼痛五勞七傷利五藏及伏梁水氣○東垣曰治風寒濕痺酸痛不仁諸風掉眩頸項難伸○好古曰去腎間風邪搜肝風

瀉肝氣治項強腰脊痛○元素曰散癰疽敗血○蘇恭曰療風用獨活兼水宜用羌活○丹溪曰獨活羌活均能祛風躁濕者也然而表裏上下氣血之分各有所長羌活氣雄入太陽外行皮表而内達筋骨氣分之藥也獨活氣細入少陰内行經絡而下達足膝血分之藥也所以羌活有風寒發散之功而解太陽故目證瘍證風痺等證爲必用也獨活僅可爲風濕寒邪之用而治少陰厥陰故奔豚疝瘕腰膝脚氣等病爲必用也二物一種其主治有不同者如此○時珍曰羌活獨活皆能逐

風透關利節但氣有剛劣爾素問云從下上者引而去之二味苦辛而温味之薄者陰中之陽故能引氣上升通達周身而散風勝濕○仲淳曰輕身耐老定非攻邪發散之藥所能焉可久服哉本經載之誤矣又曰羌獨活皆主風疾若血虚頭痛及遍身肢節疼痛誤用風藥反到增劇

啓益按羌獨活古人混其功用或用獨活無羌活漢以來分爲兩種故以羌獨活立爲本條後附羌活獨活二條見者詳焉

獨活

元素曰甘苦辛微温氣味俱薄浮而升陽也足少陰行經氣分之藥也

甄權曰治諸中風濕冷奔喘逆氣皮膚苦痒手足攣痛勞損風毒齒痛○元素曰與細辛同用治少陰頭痛頭眩目暈非此不能除○好古曰氣細而低治足少陰伏風而不治太陽故兩足寒濕痺非此不能治

羌活

元素曰辛苦温氣味俱薄浮而升陽也手足太陽行經

風藥並入足厥陰少陰經氣分
甄權曰治賊風失音不語多痒手足不遂口面喎斜遍身𤸷痺血癩○元素曰風能勝濕故能治水濕與川芎同用治太陽少陰頭痛透關利節○嘉謨曰散肌表八風之邪利周身百節之痛排巨陽內腐之疽除新舊風濕之證○薛己曰汗多過勝者不可用
汪機曰日本經獨活一名羌活本非二物後人見其形色氣味不同故為異論然物多不齊一種之中自有不同仲景治少陰所用獨活必緊實者東垣治太陽所用羌

活必輕虛者正如黃芩取枯飄者名片芩治太陰條實者名子芩治陽明之義也況古方但用獨活無羌活今方俱用不知病宜兩用耶抑未之考耶○大明曰獨活是羌活母也○時珍曰獨活羌活乃一類二種以中國者為獨活西羌者為羌活○　啓益按　本邦醫以嫩根為羌活以宿根為獨活是因汪機之說氣味柔軟而發散之氣亦自存故虛弱之人用之尤佳今見清及韓來者二物而香氣形狀殊異時珍所謂一類兩種者是也氣味酷烈發散暴虐之疫邪用之尤佳然脾氣虛弱者

及婦人小兒不堪其猛烈之氣多爲嘔吐勿用又本邦有一種附屬宿根橫行細長如牛蒡根而有節者和俗呼横根味苦辛其氣猛烈恐是真羌活也其効亦同唐羌活

葛根 本經中品

本經曰甘辛平無毒○別錄曰生汁大寒○好古曰味甘升也陽明經行經的藥○徐用誠曰氣味俱薄輕而上行浮而微降陽中陰也

本經曰治消渇身大熱嘔吐諸痺起陰氣解諸毒○別

録曰療傷寒中風頭痛解肌發表出汗開腠理療金瘡止脇風痛○甄權曰治天行上氣嘔逆開胃下食解酒毒○大明曰治胸膈煩熱發狂止血痢通小腸排膿破血傅蛇蟲嚙罯毒箭傷○藏器曰生者墮胎蒸食消酒毒可斷穀不飢○開寶曰作粉止渴利大小便解酒壓丹石傅小兒熱瘡○時珍曰散鬱火○薛己曰治瘟瘧○龔廷賢曰與白礬同洗脚汗多出不止○啓益常用此方陰囊汗出洗之有効○弘景曰生汁解溫病發熱○蘇頌曰搗汁治猘狗傷傅服並佳○元素曰升陽生

津脾虛作渴者非此不除勿多用恐傷胃氣張仲景治
太陽陽明合病桂枝湯內加麻黃葛根又有葛根黃芩
黃連解肌湯用以斷太陽入陽明之路非即太陽藥也
頭顱痛如破乃陽明中風宜用葛根葱白湯若太陽初
病未入陽明而頭痛者不可便服升麻葛根發之是引
賊入家也○丹溪曰凡癍痘已見紅點不可用葛根升
麻湯恐表虛反增癍爛也○東垣曰其氣輕浮鼓舞胃
氣上行生津液又解肌熱治脾胃虛弱泄瀉聖藥也○
本草徵要曰風藥多燥葛根獨止渴者以其升胃家下

陷上輸肺金以生水耳○仲淳曰上盛下虛人雖有脾胃病亦不宜服○弘景曰生葛搗汁解温病發熱

葛花

時珍曰治腸風下血○弘景曰同小豆則飲酒不醉

桔梗　本經下品

本經曰辛微温有小毒○東垣曰辛甘○好古曰苦辛味厚氣輕陽中之陰升也入手太陰氣分及足少陰經○之才曰畏白芨龍膽忌猪肉白粥解簽味○時珍曰伏砒

本經曰主胸脇痛如刺腹滿腸鳴幽幽驚恐悸氣○別録曰利五藏腸胃補血氣除寒熱風痺溫中消穀治喉咽痛療蠱毒○甄權曰治下痢破血積氣消聚痰涎去肺熱氣促嗽逆除腹中冷痛主中惡及小兒驚癇○大明曰下一切氣止霍亂轉筋心腹脹痛補五勞養氣除邪辟瘟破癥瘕肺癰養血排膿補內漏及喉痺○元素曰利竅除肺部風熱清利頭目胸膈咽嗌滯氣除鼻塞○東垣曰治寒嘔○時珍曰主口舌生瘡赤目腫痛○之才曰得牡蠣遠志療恚怒得消石療傷寒○活人書

曰與枳殼治胸中痞滿◯永類方曰與薏苡治齒蠹腫痛◯元素曰清肺氣利咽喉其色白故為肺部引經與甘草同行為舟楫之劑如大黃苦泄峻下之藥欲引至高之分成功須用辛甘之劑升之譬如鐵石入江非舟楫不載所以諸藥有此一味不能下沈也◯時珍曰張仲景治寒實結胸用桔梗貝母巴豆取其溫中消穀破積也亦治肺癰唾膿用桔梗甘草取其苦清肺甘溫瀉火又能排膿血補內漏也治少陰証二三日咽痛亦用甘草桔梗取其苦辛散寒甘平除熱合而用之能調寒

熱也後人易名甘桔湯通治咽喉口舌諸病宋仁宗加荊芥防風連翹遂名如聖湯極言其効也○薛己曰若上壅火升及下虛之人勿用○仲淳曰消穀者以其升載陽氣使居中焦而不下陷則脾中陽氣長浮而穀食自消矣邪在下焦及攻補下焦藥中勿用

雷斆曰凡使勿用木桔梗真相似只是嚙之腥澁不堪用○元素曰去蘆米泔水浸一宿焙乾用

枳實 本經中品

本經曰苦寒無毒○甄權曰辛苦○元素曰氣厚味薄

浮而升微降陰中陽也〇東垣曰沈陰也
本經曰治大風在皮膚中如麻豆苦痒除寒熱結止痢
長肌肉利五藏益氣輕身〇別録曰除胸脇痰癖逐停
水破結實消脹滿心下急痞痛逆氣脇風痛安胃氣止
溏泄明目〇甄權曰解傷寒結胸主上氣喘咳腎內傷
冷陰痿而有氣加而用之〇元素曰散敗血破堅積去
胃中濕熱心下痞及宿食不消並宜枳實黃連〇東垣
曰蜜炙破水積泄氣〇丹溪曰消痰能衝墻倒壁滑竅
破氣之藥也〇得効方曰與皂莢治大便秘〇宗奭曰

枳實性酷而速枳殼性詳而緩故仲景治傷寒倉卒之病承氣湯中用枳實皆取其疎通決泄破結實之義他方但導敗風壅之氣可常服者用枳殼○好古曰益氣則佐之以人参白朮乾薑破氣則佐之以大黄牽牛芷硝此本經所以言益氣而復言消痞也非白朮不能去濕非枳實不能除痞故潔古製枳朮丸方以調脾胃仲景治心下堅大如盤水飲所作用枳實白朮湯腹中輭即消○本草彙言曰凡中氣虚弱勞倦傷脾發爲痞滿者脾胃氣虚不能運化以致傷食停積者倶宜補中益

氣湯其不足少加枳實十分之一則痞滿自消矣○仲淳曰用枳朮丸壅滯既去則胃氣自安而溏泄亦止矣其云明目者經曰目得血而能視氣旺乃能生血損氣破散之性豈能明目哉無是理也

時珍曰後人呼小者爲枳實性速呼老者爲枳殼生則皮厚而實熟則殼薄而虚正如青橘皮陳橘皮之義○弘景曰以陳者爲良○雷斅曰去穰核以小麥麩炒至麩焦去麩用

枳殼

開寶曰苦酸微寒無毒○甄權曰苦辛○元素曰氣味升降與枳實同

開寶曰治風痺淋痺通利關節勞氣咳嗽背膊悶倦散留結胸膈痰滞逐水消脹滿大腸風安胃止風痛○甄權曰遍身風瘮肌中如麻豆惡瘡腸風痔疾心腹結氣兩脇脹虚關膈壅塞○大明曰健脾開胃調五藏下氣止嘔逆消痰治反胃霍亂瀉利消食破癥結痃癖五膈氣及肺氣水腫大小腸除風明目熨痔腫○仲淳曰得人參麥冬治氣虚大便不快同肉桂治右脇痛○薛己

曰配桔梗消胸上之痞和黄連能滅痔◯元素曰除痞破氣勝濕化痰泄肺走大腸多用損胸中至高之氣止可二三服而已稟受素壯而氣刺痛者看在何部經分以別經藥導之◯好古曰枳殼主高枳實主下高者主氣下者主血故殼主胸膈皮毛之病實主心腹脾胃之病大同小異◯時珍曰枳殼枳實上世未嘗分別魏晉以來始分之潔古東垣殼實分治高下大抵其功用皆利氣也氣利則痰喘止痞脹消食化積減仲景治胸痞以枳實為要藥諸方治下血痔痢大腸秘塞裏急後重

又以枳殼爲通用則枳實不獨治下而枳殼不獨治高
也蓋人之一身自飛門以至魄門三焦相通一氣而已
則二物分之可也不分亦無傷○啓益按東垣有高下
之說海藏有氣血之分然其功用在利氣宗奭謂枳實
性急枳殼性緩之說爲確當也○杜壬方曰與甘草同
治難産名瘦胎飲○潔古曰瘦胎飲改換用枳朮丸
服令胎瘦易産○宗奭曰八九月胎必與蘇梗同用以
順氣胎前無滯則産後無虛若氣稟弱者即大非所宜
○丹溪曰難産多見于鬱悶安逸之人富貴奉養之家

瘦胎飲爲湖陽公主作也予妹苦于難產其形肥好坐思是與公主相反也彼奉養之人其氣實故耗其氣使平則易產今形肥則氣虛當宜補母之氣以紫蘇飲加補氣服之遂快產○東垣曰氣血虛弱者不可服以其損氣也○薛己曰多用損至高之氣久瀉不實者亦忌參蘇敗毒一切用之亦其能踈皮毛胸膈之病也

蘇頌曰七八月采者爲實九月十月采者爲殼陳久者爲勝近道所出者俗呼臭橘不堪用○啓益顧本邦呼加良多知者臭橘而非眞然不出其種類故今用以

治疾病必奏其効韓彦直橘録謂近時難得枳實人多用枸橘及朱欒以充之異方醫者不能辨用以治病亦愈藥貴於愈病而已孰辨其為真偽耶盖此言也是公論 本邦不産真枳實舍真橘而亦何取焉凡萬木千草易地則其形状多異猶有毛獨圓長之異枳橘南北之變宜活潑而適用耳

白芷 本經 上品

本經曰辛温無毒○元素曰味苦大辛氣味俱輕陽也手陽明引經本藥同升麻則通行手足陽明經亦入手

太陰○之才曰當歸為之使惡旋覆花制雄黃硫黃本經曰主女人漏下赤白血閉陰腫寒熱頭風侵目淚出長肌膚潤澤顏色可作面脂○別録曰療風邪久渴吐嘔兩脇滿頭眩目癢可作膏藥○大明曰治目赤努肉去面皯疵瘢補胎漏滑落破宿血補新血乳癰發背瘰癧腸風痔瘻瘡痍疥癬止痛排膿○甄權曰止心腹血刺痛女人瀝血腰痛血崩○唐瑶方曰治難產○宗奭曰藥性論言能蝕膿令人用治帶下腸有敗膿淋露不已腥穢殊甚致臍腹冷痛皆由敗膿血所致須此排

膿○元素曰解利手陽明頭痛中風寒熱及肺經風熱頭面皮膚風痺燥癢○仲景曰同貝母連翹等消乳癰結核同黃芪芎藭等排膿止痛消癰腫同雄黃燒可以辟蛇同芎藭黃芪治痘瘡作痒及皮膚搔痒○時珍曰治鼻淵鼻衄齒痛眉稜骨痛大腸風秘小便出血婦人血風眩運飜胃吐食解砒毒蛇傷刀箭金瘡○東垣曰療風通用其氣芳香能通九竅表汗不可缺又曰芳香之氣助脾胃故能止嘔進食○好古曰同辛夷細辛用治鼻病入內托散用長肌骨則入陽明可知○時珍曰

色白味辛行手陽明庚金性温氣厚行足陽明戊土芳香上達入手太陰肺經肺者庚之弟戊之子也故所主之病不離三經如頭目眉齒諸病三經之風熱也如漏帶癰疽三經之濕熱也風熱者辛以散之濕熱者温以除之為陽明主藥故又能治血病胎病而排膿生肌止痛○薛己曰活血勝濕主帶下赤白之妙陽明氣血之海故主女子崩漏赤白血閉陰腫多屬陽明也辛温而走於肌肉只治足陽明頭痛而不治他經也○仲淳曰散金氣故療風邪久瀉別録謂久渴宜作久瀉○又曰

性升而温嘔吐因於火者禁用漏下赤白陰虚火熾血熱所致者勿用癰疽已潰宜漸減去○李中立曰上盛下虚之人雖有脾胃病亦不宜服

時珍曰今人悉根洗刮寸截以石灰拌匀晒收為其易蛀并欲白色也入藥微焙○嘉謨曰治女人漏下赤白血閉陰脫宜炒黑用

藿香 嘉祐本草

嘉祐曰辛微温無毒○元素曰辛甘又曰甘苦氣厚味薄浮而升陽也○東垣曰可升可降入手足太陰經

別録曰治風水毒腫去惡氣止霍亂心腹痛○蘇頌曰治脾胃吐逆為要藥○元素曰助胃氣開胃口進飲食○好古曰温中快氣肺虚有寒上焦壅熱飲酒口臭煎湯漱手足太陰之藥故入順氣烏藥散則補肺入黄芪四君子湯補脾○聖惠方曰與香附甘草為末治胎氣不安氣不升降嘔吐酸水者○薛己曰合人参養胃入正氣散則開胃○仲淳曰雖能止嘔治吐逆若病因陰虚火旺胃弱欲嘔及胃熱作嘔中焦火盛熱極温病熱陽明胃家邪實作嘔作脹法並禁用

元素曰去枝梗用葉○時珍曰今人併枝梗用之因葉多僞故耳○仲淳曰市家多攙棉花葉茄葉假充不可不擇○啓益按清來者有二種和俗呼青葉藿香者眞也呼埋藿香者埋土中而殺其香臭之烈氣不可用本邦古來有藿香形色相似然香氣酷烈病人多不堪臭烈之氣反作嘔吐此亦藿香種類鄙僻之地乏則用之

木香 本經上品

本經曰辛溫無毒○元素曰辛苦熱氣味俱厚沉而降

陰也○東垣曰苦甘辛微温降也○好古曰純陽味厚
於氣陰中陽也○宗奭曰得橘皮肉荳蔲生薑相佐使
絶佳○元素曰若治中下二焦氣滯須用檳榔爲使
本經曰治邪氣辟毒疫温鬼強志主淋露久服不夢寤
魘寐○別錄曰消毒殺鬼精物温瘧蠱毒氣劣氣不足
肌中偏寒蠱毒行藥之精○大明曰治心腹一切氣膀
胱冷痛嘔逆反胃霍亂泄瀉痢疾健脾消食安胎○甄
權曰九種心痛積年冷氣痃癖癥塊脹痛壅氣上衝煩
悶羸劣女人血氣刺心痛不可忍末酒服之○元素曰

散滯氣和胃氣泄肺氣○好古曰治衝脉爲病逆氣裏急主脬滲小便秘○丹溪曰行肝經氣煨熟實大腸○宗奭曰專泄决胸腹間滯塞冷氣○曾氏小兒方曰與枳殼甘草則治小兒陽明經風熱濕氣相搏陰莖無故腫或痛縮宜寛此一經○廣濟方曰與牽牛三稜莪朮則治女人一切血氣刺心痛用上方加雷丸苦練根殺一切蟲積○汪機曰與補藥爲佐則補與泄藥爲君則泄○好古曰本草云主氣劣氣不足藥性論謂安胎健脾是皆補也衍義謂瀉胸腹窒塞積年冷氣日華子謂

除痞癖癥塊是皆破也易老總謂調氣之劑不言補不
言破○嘉謨曰諸說不同何也恐汪機謂與補藥為佐
則補與瀉藥為君則瀉故云然也○薛已曰非真有補
抑以能散滯調氣而補益有其中○時珍曰乃三焦氣
分之藥能升降諸氣膹鬱皆屬於肺故上焦氣滯用之
者乃金鬱泄之也中氣不運皆屬於肺故中焦氣滯宜
之者脾胃喜芳香也大腸氣滯則後重膀胱氣不化則
癃痳肝氣鬱則為痛故下焦氣滯者宜之乃塞者通之
也○本草彙言曰木香香草也名木者當入肝故也故

色香氣味各具角木用亦入脾故根枝節葉亦各具官
土數入脾則奪土鬱入肝則達木鬱經云木鬱則達之
土鬱則奪之奪土所以達木達木即所以奪土土以
木為用木以土為基也凡上而霧露清邪中而水穀寒
痰下而水濕淤留為痛為脹為結為滯之證無不宜通
一澁燥熱務宜斟量○本草新編曰廣木香亦止可少
用之為使氣行即止而不可謂其能補氣重用之也○
仲淳曰辛温專主諸氣不順求其能辟毒疫瘟鬼殺鬼
精物恐或未然也又肺虛有熱者元氣虛脫及陰虛內

熱諸病有熱心痛屬火者禁用○本草徵要曰香燥而偏于陽血枯而燥者勿犯之

時珍曰凡入理氣藥只生用不見火實大腸宜麪煨用

本草新編曰或問廣木香與青木香同是止痢之藥子何取廣木香而棄青木香也蓋廣木香氣溫而青木香氣寒耳痢乃濕熱青木香寒以去熱似相宜而余毅然删去者惡青木香之散氣雖有益于痢終有損氣也若廣木香不然氣溫而不寒能降氣而不散氣且香先入脾待之而喜則脾氣自調而穢物自去不攻攻正善于

攷此所以删青木香而登廣木香也○時珍曰木香草類也本名蜜香因其香氣如蜜也緣沈香中有蜜香遂訛此為木香爾昔人謂之青木香後人因呼馬兜鈴根為青木香乃呼此為南木香廣木香以別之今人又呼一種薔薇根為木香愈亂真也○仲淳曰今市肆所有正白木香也○啓益顧因時珍之說則古方稱青木香者蜜香即廣木香也近世方劑稱青木香者馬兜鈴根而即獨行根也因仲淳士鐸之說則古今共別而為二物再詳之則本經別錄等不載馬兜鈴至唐本草始

出之然則唐以前稱青木香者廣木香而唐以後稱青
木香者多是獨行根也夫蜜香與獨行根其香氣性効
頗相似故名青木香後人多混淆而不分如時珍綱目
亦混其主治宜考其證功以別之廣木香味辛苦性温
專主諸氣不順一切心腹氣痛痢疾消食健脾獨行根
味辛苦性冷專主天行疫病發斑癰疽疔毒惡蛇虺傷
消毒殺鬼精物去蠱毒然如神淳之疏以辟毒疫温鬼
殺鬼精物為未然也雖此言似精細恐未確蓋蜜香氣
味辛烈而且有郁芳主魘寐辟疫毒鬼精物之功自存

是以本經別錄載其能矣必有閲其功耶又　本邦有
十種木香花色根形如本草所言然香氣薄而不如清
來者不可用疑是土青木香乎鄙僻地乏則用之亦可

紫蘇　別錄中品

別錄曰辛溫無毒○薛巳曰辛甘溫陽也可升可降入
手太陽少陰太陰氣味輕清惡麻黃不敢用麻黃者以
此代之
別錄曰下氣除寒中○孟詵曰除寒熱治一切冷氣○
大明曰補中益氣治心腹脹滿止霍亂轉筋開胃下食

止脚氣通大小腸○蘇頌曰通心經益脾胃○時珍曰
發表散風寒行氣寛中利肺○甄權曰殺一切魚肉毒
○永類鈐方曰與桑葉同搗傅金瘡出血不止○千金
方曰貼風狗咬傷○金匱要畧曰解蟹毒○時珍曰其
味辛入氣分其色紫入血分故同橘皮砂仁則行氣安
胎同藿香烏藥則温中止痛同香附麻黄則發汗解肌
同芎藭當歸則和血散瘀同木瓜厚朴則散濕解暑治
霍亂脚氣同桔梗枳殼則利膈寛胸同杏仁萊菔子則
消痰定喘也○本草彙言曰氣香入脾胃性温去寒瘴

體輕則行陽道用散則發鬱滯故同蒼朮白朮則健脾
散濕同防風前胡則發汗解肌同荊芥薄荷升麻則升
達巔頂之陽同連翹木香黒山梔則啓拔沈滯之鬱乃
宣通四旁之藥也○仲淳曰芬芳辛温純陽之草也故
善發散解肌出汗病屬陰虛因發寒熱或惡寒及頭痛
者慎毋投之以病宜斂宜補也火升作嘔喘者不宜服
惟可用子○李延飛曰不可同鯉魚食生毒瘡○宗奭
曰俗喜其芳香早暮貴食不知泄真元氣古稱芳草致
豪貴之疾紫蘇有焉若脾胃寒人多致滑泄○薛巳曰

氣虚者不可用以散氣也蘇子尤甚俗醫不分虚實但見胸滿者多用此劑慎之〇　啓益按蘇葉辛烈香竄之藥主發散耗散真元之氣不宜無故而久服如大明言補中益氣者豈有所能哉

蘇頌曰以背面皆紫者佳〇　啓益按至五六月其葉盛大時采採洗水而陰乾凡采葉藥須視葉裏有蛛繭蟲蝕者去之其葉乾後不便采擇　本邦俗呼縮緬者即花紫蘇也葉上有花紋而縮緬表裏皆紫色芳香清烈者為上好面青背紫者名野蘇勿用

蘇子

別録曰辛温無毒

別録曰下氣除寒温中○甄權曰治上氣咳逆冷氣及腰脚中濕氣風結氣○大明曰調中益五藏止霍亂嘔吐反胃補虚勞肥健人利大小便破癥結消五膈消痰止嗽潤心肺○宗奭曰治肺氣喘急○時珍曰治風順氣利膈寛腸解魚蟹毒與葉同功發散風寒宜用葉清利上下則宜用子也

大腹皮 開寶本草

開寶曰辛微溫無毒○薛已曰陽也可升可降入足太陰陽明經

開寶曰治冷熱氣攻心腹大腸蠱毒痰癖醋心並以薑鹽同煎入疏氣藥○大明曰下一切氣止霍亂通大小腸健脾開胃調中○時珍曰降逆氣消肌膚中水氣浮腫脚氣壅逆瘴瘧痞滿胎氣惡阻脹悶○薛已曰疎藏氣之壅滯及脾胃之有餘故脹滿及浮腫者用之虛者禁服其健脾開胃調中者得非邪氣散壅滯去則胸中氣調胃氣開而脾氣亦健歟要之非真補劑也○仲淳

曰氣味主治與檳榔相同第檳榔性烈破氣最捷大腹皮性緩下氣稍遲入脾胃二經虛則寒熱不調逆氣攻走或痰滯中焦結成膈症或濕熱鬱積酸味醋心辛溫煖胃豁痰通行下氣則諸證除矣◎本草彙言曰宋人有安胎之說然此藥既為利氣之藥又何以安胎乎如氣勝而胎不安者使之氣下則胎自寬矣◎蕭京曰與厚朴烏藥主傷滯氣腹痛者則治形病有餘之實症也孫思邈曰此樹鴆鳥多棲糞毒最能為害先浸醇酒後以大豆汁再洗過乾入灰火煨用

檳榔子

別録　中品

別録曰苦辛温濇無毒◯弘景曰交州者味甘廣州者味濇◯元素曰辛苦味厚氣輕沉而降陰中陽又純陽

別録曰消穀逐水除痰澼殺三蟲伏尸寸白◯蘇恭曰治腹脹生擣末服利水穀道傅瘡生肌肉止痛燒灰傅口吻白瘡◯甄權曰宣利五藏六府壅滯破胸中氣下水腫治心痛積聚◯大明曰除一切風一切氣通關節利九竅補五勞七傷健脾調中除煩破癥結◯李珣曰主賁豚膀胱諸氣五膈氣風冷氣脚氣宿食不消◯好

古曰治衝脉爲病逆氣裏急○時珍曰治瀉利後重心腹諸痛大小便氣秘痰氣喘急療諸瘧○直指方曰與良薑陳倉米治心脾痛○方脉正宗曰與花椒葱頭同治寸白蟲諸蟲攻心咬痛或嘔吐涎水湯藥不入者○東陽盧和曰閩廣人常服檳榔子云能祛瘴有瘴而服之可也無瘴而服之寧不損正氣而有開門延寇之禍乎○元素曰苦以破滯辛以散邪泄胸中至高之氣使之下行性如鐵石之沈重能墜諸藥至於下極故治諸氣後重如神○薛已曰入胸腹破滯氣而不停入腸胃

逐痰癖而直下能調諸藥下行逐水攻脚氣治痢取其墜也非取其破氣也故兼木香用之然後可耳一云能殺寸白蟲非殺蟲也以其性下墜能逐蟲下行也○嘉謨曰久服損真氣多服則瀉至高之氣較諸枳殼青皮此尤甚也○本草徵要曰氣虚下陷者當遠避○　啓益顧性如鐵石破氣沈墜之藥豈能有治五勞七傷調中之効乎大明之言恐非所能也然少佐使補藥則有順滯開鬱之効耳

雷斅曰頭圓矮毗者為榔形尖紫文者為檳檳力小榔

力大凡用白檳及存坚穩正心堅有錦文者爲妙半白
半黒虛者不入藥以刀刮去底細切勿見火恐無力

黄芩 本經
中品

本經曰苦平無毒○別録曰大寒○東垣曰可升可降
陰也○元素曰氣凉味苦甘氣厚味薄浮而升陽中陰
入手少陽陽明○好古曰陰中微陽入手太陰血分○
時珍曰入手少陰足太陰少陽○之才曰山茱萸龍骨
爲之使惡葱實畏丹砂牡丹藜蘆
本經曰治諸熱黄疸腸澼洩痢逐水下血閉惡瘡疽蝕

火瘍○別録曰療痰熱胃中熱小腹絞痛消穀利小腸女子血閉淋露小兒腹痛又治奔豚臍下熱痛○甄權曰治熱毒骨蒸寒熱往來腸胃不利破擁氣治五淋令人宜暢去關節煩悶解熱渇○大明曰下氣主天行熱疾丁瘡排膿治乳癰發背○元素曰涼心療上熱目中赤腫瘀血壅盛上部積血補膀胱寒水○羅天益曰瀉火補氣利肺治喉中腥臭○時珍曰治頭痛火咳肺痿諸失血○瑞竹堂方曰與香附生地同治五十歳後經水不斷每月過多不止○方脉正宗曰與麥門冬同

療無故夜熱盜汗○怪證奇方曰酒炒爲末酒服治灸瘡出血不止手足冷欲絕者○仲淳曰雞子清調敷一切火丹○元素曰其用有九瀉肺熱一也去上焦皮膚風熱風濕二也去諸熱三也利胸中氣四也消痰膈五也除脾經諸濕六也夏月須用七也婦人產後養陰退陽八也安胎九也○好古曰仲景治心下痞滿瀉心湯四方皆用黃芩以其去諸熱利小腸故也○東垣曰中枯而飄者瀉肺火利氣消痰除風熱清肌表之熱細實而堅中不空者瀉大腸火養陰退陽補膀胱寒水滋其

化源○丹溪曰降痰假其降火也凡去上焦濕熱須以酒洗過用片芩瀉肺火也須用桑白皮佐之若肺虚者多用傷肺必先以天門冬保定肺氣而後用之黄芩白朮乃安胎聖藥俗以黄芩為寒而不敢用盖不知胎孕宜清熱涼血不妄行乃能養胎黄芩乃上中二焦藥能降火下行白朮補脾也○時珍曰潔古言黄芩瀉肺火治脾濕東垣言片芩治肺火條芩治大腸火丹溪言黄芩治上中二焦火而張仲景治少陽証小柴胡湯太陽少陽合病下利黄芩湯少陽症下後心下滿而不痛瀉

心湯並用之成無已言黃芩苦而入心泄痞熱是黃芩能入手少陰陽明手足太陰少陽六經矣蓋黃芩氣寒味苦色黃帶綠苦入心寒勝熱瀉心火治脾之濕熱一則胃火不流入肺即所以救肺也肺虛不宜者苦寒傷脾胃損其母也楊士瀛云柴胡退熱不及黃芩蓋亦不知柴胡之退熱乃苦以發之散火之標也黃芩之退熱乃寒能勝熱折火之本也○仲淳曰其性清肅所以除邪味苦所以燥濕陰寒所以勝熱故主諸熱諸熱者邪熱與濕熱也黃疸腸澼洩痢皆濕熱勝之病也折其本

則諸病自瘳矣苦寒能除濕熱所以小腸利而水自逐源清則流潔也血閉者實熱在血分即熱入血室令人經閉不通濕熱解則榮氣清而自行也惡瘡疽蝕者血熱則留結而為癰疽潰爛也火瘍者火氣傷血也涼血除熱則自愈也別録消痰熱者熱在胸中則生痰火在少腹則絞痛小兒內熱則腹痛胃中濕熱去則胃安而消穀也○本草新編曰黃芩但可臣使而不可為君藥近人最喜用之然亦必肺與大腸膀胱之有火者用之始宜否則不可頻用也古人曰黃芩乃安胎之聖藥亦

因胎中有火故用之于白朮歸身人參熟地杜仲之中
自然胎安倘無火而寒虛胎動正恐得黃芩而反助其
寒雖有參歸等藥補氣補血補陰未必胎氣之能固也
况不用參歸等藥欲望其安胎萬無是理矣○仲淳曰
凡中寒作泄中寒腹痛肝腎虛而少腹痛血虛腹痛脾
虛泄瀉腎虛溏泄脾虛水腫血枯經閉氣虛小水不利
肺受心邪喘欬及血虛胎不安陰虛淋露法並禁用
弘景曰色深堅實者好飄與實高下之分與枳實枳殼
同例○嘉謨曰枯飄者名宿芩遂上膈酒炒為宜堅實

者名子苓治下焦生用最好

黃連　本經上品

本經曰苦寒無毒○元素曰氣味俱厚可升可降入手少陰經○仲淳曰味厚於氣味苦而厚陰也入手少陰陽明足少陽厥陰足陽明太陰○蕭京曰苦燥大寒○之才曰黃芩龍骨理石為之使惡菊花玄参白鮮皮芫花白殭蠶畏款冬牛膝勝烏頭解巴豆之毒○甄權曰忌豬肉惡冷水○張路玉醫通曰解附子輕粉之毒

本經曰治熱氣目痛眥傷泣出明目腸澼腹痛下痢婦

人陰中腫痛久服令人不忘○別録曰主五臟冷熱久下洩痢膿血止消渇大驚除水利骨調胃厚腸益膽療口瘡○大明曰治五勞七傷益氣止心腹痛驚悸煩躁潤心肺長肉止血天行熱疾殺蟲○藏器曰治羸痩氣急○元素曰治鬱熱在中煩躁惡心兀兀欲吐心下痞滿○楊士瀛曰去心竅惡血○成無已曰導心下之虚熱能安蚘○蘇頌曰黄連治目方多而今醫家洗目與當歸赤芍藥用雪水或泔水煎熱洗之甚益眼目但是風毒赤目花翳用之無不効　啓益　常用此方加川芎黄

蘗薄荷紅花枯礬少許○熊氏補遺曰治胎孕胎中兒哭用煎濃湯毋常呷之○丹溪曰與人參治噤口痢　啓益　常用上方加蓮肉石菖蒲粳米有奇効○童子秘訣曰與黃土治小兒好食土　啓益　治小兒好食土及茶生米用此方加乾薑呉茱萸○　啓益　常治毒蛇蜈蚣及諸惡蟲刺咬發熱腫痛不可忍者用黃連解毒荊防敗毒等倍加黃連神効○元素曰其用有六瀉心臟火一也去中焦濕熱二也諸瘡必用三也去風濕四也赤眼暴發五也止中部見血六也張仲景治九種心下痞五等

瀉心湯皆用之○仲淳曰酒病之仙藥滯下之神草久服令人不忘者心家無火則清清則明故不忘禪家習定多飲苦茗亦此義爾○本草新編曰黃連可為臣使之藥而不可以為君宜少用而不宜多用可治實熱而不可治虛熱也蓋虛火宜補而實火宜瀉以黃連瀉火者正治也以肉桂治火者從治也故黃連肉桂寒熱實相反似乎不可並用而實有並用而成功者蓋黃連入心肉桂入腎也凡人日夜之間必心腎相交而後水火始得既濟火水兩分而心腎不交矣心不交于腎則日

不能寐腎不交于心則夜不能寐矣黄連與肉桂同用則心腎交于頃刻又何夢之不安乎○弘景曰道方服食長生○完素曰古方以黄連爲治痢之最蓋治痢惟宜辛苦寒藥辛能發散開通鬱結苦能燥濕寒能勝濕使氣宣平而已諸苦寒藥多泄惟黄連黄蘗性冷而燥能降火去濕而止瀉利故治痢以之爲君○宗奭曰今人多用黄連治痢蓋執以苦燥之義下俚但見腸虚滲泄微似有血便即用之又不顧寒熱多少惟欲盡劑由是多致危困若氣實初病熱多血痢服之便止不必盡

劑虛而冷者愼勿輕用○張路玉醫通曰有久服黃連苦參反熱之說此性雖寒其味至苦入胃則先歸於心久而不已心火偏勝則熱其理也○好古曰苦燥苦入心火就燥瀉心者實瀉脾也實則瀉其子也○嘉謨曰惟初病氣實熱盛者最良久病氣虛發熱者服之反助其火也○時珍曰香連丸用黃連木香水火散用黃連乾薑左金丸用黃連吳茱萸薑黃散用黃連生薑治口瘡用黃連細辛皆一冷一熱寒因熱用熱因寒用陰陽相濟最得製方之妙○本草纂要曰嘔逆惡心吞吐酸

苦乃脾之邪也氣盛壅塞關格不通乃脾胃之邪也七
情聚而不散六欝結而不舒用二陳以清之可也然無
黄連之苦寒則二陳獨不能清虚熱有動於火也陰極
有變於陽也用苦寒以黄連可也然無温補之劑則黄
連獨不能行○蕭京曰自本草厚腸胃之言一出擧世
醫者不分虚實拘執經文混行施治豈知斯言蓋為毒
痢積熱薫蒸腸胃致腸垢刮削而下用黄連以解熱既
消則腸胃復原而自厚所謂厚腸胃者以此若人賦稟
不實雖有熱症用之則反敗胃漸耗真陽甚有火衰虚

火之症而亦妄用何也故東垣曰實火可瀉芩連之屬虚火可補參朮之屬是也〇時珍曰大苦大寒之藥用之降火燥濕中病則當止豈可久服使肅殺之令常行而伐其生發沖和之氣乎大苦大寒之藥不但使人不能長生久則氣增偏勝速夭之由矣〇景岳全書曰人之脾胃所以盛載萬物本象地而屬土土煖則氣行而燥土寒則氣凝而濕土燥則實土濕則滑此天地間不易之至理黄連之苦寒若此所以過服芩連者無不敗脾此其濕滑亦自明顯易見獨因陶弘景別錄中有調

胃厚腸之下言而劉河澗復證之曰諸苦寒多泄惟黃連黃蘗性冷而燥因致後世視爲寄見無不謂黃連性燥而厚腸凡治瀉痢者開手便是黃連黃蘗之燥於何見之嗚呼下言之謬流染若此難洗若此誇理惑人莫此爲甚雖曰黃連治痢亦有效者然必其素禀陽臟或多縱口腹濕熱爲痢者乃其所宜且凡以縱肆不節而血氣正強者即或誤用未必殺人久之邪去亦必漸愈而歸功黃連何不可也此外則凡如元氣素弱傷脾患痢或本無火邪而寒濕動脾者其病極多若妄用黃連

則脾胃日敗百無一生○本草彙言曰吐血衄血妄奔于上洩血淋血妄泄于下用四生以止之可也然無黃連之少佐則四生不能獨止○張路玉醫通曰婦人陰中腫痛亦是濕熱為患黃連尤宜以苦燥濕也○東垣曰諸瘡宜與當歸同為君甘草黃芩為佐宿食心下痞滿者須與枳實同用○丹溪曰去中焦濕熱瀉心火若脾胃氣虛不能運轉者則以茯苓黃芩代之○仲淳曰如脾虛血少以致驚悸痘毒氣虛作瀉行漿後洩瀉腎虛人五更瀉洩陰虛煩熱脾虛煩渴法咸禁用

薛已曰以薑汁炒用則止嘔○時珍曰治本藏之火則生用之治肝膽之實火則以豬膽汁浸炒治肝膽之虚火則以醋浸炒治上焦之火則以酒炒治中焦之火則以薑汁炒治下焦之火則以鹽水朴硝炒治氣分濕熱之火則以吴茱萸湯浸炒治血分塊中伏火則以乾漆水浸炒治食積之火則以黄土炒諸法不獨為之引導葢辛熱能制其苦寒鹹能制其燥性在用者詳酌之○雷斅曰凡使以布拭去肉毛用漿水浸二伏時漉出于柳木火上焙乾用

梔子 本經 中品

本經曰苦寒無毒○別錄曰大寒○元素曰氣薄味厚輕清上行氣浮而味降陽中陰也○東垣曰沈也陰也入手太陰

本經曰治五內邪氣胃中熱氣面赤酒皰皶鼻白癩赤癩瘡瘍○別錄曰療目赤熱痛胸心大小腸大熱心中煩悶○弘景曰解羊躑躅之毒○甄權曰去熱毒風除時疾熱解五種黃病利五淋通小便解消渴明目主中惡蠱毒○孟詵曰主瘖瘂紫癜風○時珍曰治吐血

血痢下血損傷瘀血及熱厥頭痛疝氣火傷◯仲淳曰治一切火◯梅師方曰治熱病食復及女勞復發熱煩躁欲死者◯丹溪曰與生薑同治胃脘火痛譫語者立効◯本草彙言曰燒灰吹鼻治鼻衄炒黑與羌活同治眉骨痛生用與荊芥同治火鬱喉閉炒黑與桑白皮桔梗西河柳麻黃石膏同治酒風面赤鼻皶◯嘉謨曰與生薑橘皮同治嘔吐不止與枳實厚朴同治腹滿而煩與茵蔯同治濕熱發黃◯元素曰輕虛而象肺色赤而象火故能瀉肺中之火又能治臍下血滯而小便不利

其用有四去心經客熱一也除煩躁二也去上焦之虚熱三也治風四也○丹溪曰瀉三焦之火及痞塊中火邪最清胃脘之血其屈曲下行能降火從小便中泄去凡心痛稍久不宜温散反助火邪故古方多用以導熱藥則邪易伏而病易退○好古曰本非吐藥仲景爲邪氣在上得吐則邪出所謂高者因而越之也亦非利小便藥蓋肺清則化行而膀胱之府奉氣化而出又同香豉治煩躁煩者氣也躁者血也氣主肺躁主血故用梔子治肺煩用香豉治腎躁○東垣曰其色赤味苦入心

而治煩香豉色黑味鹹入腎而治躁○薛己曰胃熱太嘔者用之乃止胃寒多嘔者用之反致吐○仲淳曰至苦大寒能損胃伐氣虛者忌之心腹痛不因火者尤為大戒世人每用治血不知血寒則凝反為敗證治實火之吐血順氣為先氣行則血自歸經治虛火之吐血養生為先氣壯則自能攝血此治療之要法不可違也○蕭京曰生梔性大寒古方用為吐藥療上膈之實熱經炒者性涼袪熱解煩保肺抑心其炮黑者性平除鬱滯理肝氣濟生逍遥散加之亦止血竅此一物而有三用

也性寒涼平隨火變化耳
好古曰去皮治心胸熱留皮去肌表熱○丹溪曰治上焦中焦連殼用下焦去殼洗去黃漿炒用治血病炒黑用○嘉謨曰止血用炒黑色去熱用微炒或生○蘇頌曰刻房七稜至九稜者為佳其大而長者入藥無力○藥性大全曰生於山間者為山梔栽於家園者為黃梔肥壯者可染物用方中形緊小者佳矣

連翹 本經下品

本經曰苦平無毒○時珍曰微苦辛○元素曰性涼氣

味薄輕清而浮升也陽也○薛已曰可升可降○好古曰陰中陽也入手足少陽手陽明又入手少陰本經曰主寒熱鼠瘻瘰癧癰腫惡瘡癭瘤結熱蠱毒○別錄曰去白蟲○甄權曰通利五淋除心家客熱○大明曰通小腸排膿治瘡癤止痛通月經○元素曰去上焦諸熱為瘡家聖藥○東垣曰散諸經血結氣聚消腫十二經瘡藥中不可無此乃結者散之之義○丹溪曰瀉心火除脾胃濕熱治中部血証以為使○好古曰治氣秘火炎之耳聾除六經熱與柴胡同功但此治血熱

為少異耳與鼠粘子同用治瘰癧別有神效◎本草彙言曰從荊芥而治風熱從黃連而治火熱從大黃而治燥熱從蒼栢而治濕熱從歸地而治血熱從貝母而治痰熱從山梔而治欝熱從茸麥而治煩熱從金銀花紫花地丁而治疔腫瘡毒之熱◎啓益謂予嚮歲遊東都友人阿部氏曰近有一小方麻治吐乳病得其妙予以圍碁通交故傳此方彼言治吐乳不問攻補之藥中必加連翹一味其妙在于此而已予聞此言喟然而曰嗚呼偉哉藥物之妙闕古今諸本草無治吐乳之言然貫

通諸説則有此理夫連翹少陽陽明少陰之藥如吐病皆屬炎上熱火故用之以瀉心火解肝膽欝熱除脾胃濕熱清利胸膈滯氣則吐乳自止不啻治小兒吐乳治大人嘔吐及胎前惡阻應手而有效焉知有好問察適之益也○時珍曰形似人心兩片相合其中有仁甚香乃少陰心經厥陰包絡氣分主藥也○薛己曰治諸症以防風為上使以連翹為中使以地楡為下使○仲淳曰清而無補之藥也癰疽已潰勿用火熱由於虚者勿服脾胃虚弱易於作泄者勿服

啓益 按清來者爲良 本邦處處有之大小自異其枝軟弱下垂而如柳者爲小翹堅強揚起而如桃者爲大翹共初春開四瓣黄花秋來結子然其効不如清來者

連軺

本經曰下熱氣益陰精令人面悅好明目久服輕身耐老○時珍曰治傷寒發黄○啓益 按治疔瘡腫毒○好古曰能下熱氣故張仲景治傷寒瘀熱在裏麻黄連軺赤小豆湯用之註云連軺即連翹之根也

縮砂 開寶本草

開寶曰辛温濇無毒○甄權曰辛苦○好古曰陽也浮也入手足太陰陽明太陽足少陰○薛己曰陽中之陰可升可降○李珣曰辛鹹平得訶子豆蔻白蕪荑鱉甲良

開寶曰治虛勞冷瀉宿食不消赤白洩痢腹中虛痛下氣○甄權曰主冷氣痛止休息痢消化水穀温暖脾胃○藏器曰主上氣咳嗽奔豚鬼疰驚癇邪氣○大明曰一切氣霍亂轉筋能起酒香味○元素曰治脾胃氣結滯不散○楊士瀛曰和中行氣滯氣○藥性賦曰止瀉

兼腎○時珍曰理元氣散寒飲脹痞噎膈嘔吐止女子崩中除咽喉口齒浮熱化銅鐵○十便良方曰治大便瀉血○百一選方曰與甘草嚼之治魚骨入咽○事林廣記曰解一切食毒及魚果毒○弘景曰炒黑治子癇昏冒能安胎止痛○啓益每治惡阻及大病後倦服藥惡飲食者碎而如米粒隨意嚼之五七粒使其充果子則失服藥之處而不覺其倦故見効甚速也○仲淳曰芳香歸脾辛能潤腎開脾胃之要藥和中氣之正品若腎虚氣不歸元非此向導不濟○本草徵要曰主鬼疰

安胎者鬼畏芳香胎喜疎利故咸治之◯時珍曰腎通
云腎惡燥以辛潤之縮砂之辛以潤腎燥又云屬土主
醒脾調胃引諸藥歸丹田香而能竄和合五臟中和天
地以土爲冲和之氣故補腎藥用同地黄丸蒸取其達
下之旨也◯好古曰與白檀豆蔻爲使則入肺與人参
益智爲使則入脾與黄蘗茯苓爲使則入腎與赤白石
脂爲使則入大小腸也◯本草彙言曰與木香同用治
氣痛尤速◯本草新編曰補藥味重非佐之消食之藥
未免過于滋益反恐難于開胃入之砂仁以甦其脾胃

之氣則補藥尤能消化而生精生氣更易易也○薛已曰治咳嗽上氣是肺受風邪以辛散之若肺有伏火咳勿用○仲淳曰凡腹痛屬火泄瀉得之暑熱胎動由於濕氣上氣者誤用有損無益○本草徵要曰性燥血虛火炎者不可過用胎婦食之太多耗氣必致難產○本草彙言曰腫滿由于濕熱者勿用

嘉謨曰先和皮慢火炒熱去殼碎取仁用

啓益按縮砂不產于本邦清來者有兩種所謂東京交趾共宜用和俗稱伊豆縮砂者是良薑子而即紅荳

蔻也味辛辣勿代用

益智　開寶本草

藏器曰辛溫無毒○薛己曰味辛溫陽也可升可降入
手足太陰足少陰
藏器曰治遺精虛漏小便餘瀝益氣安神補不足利三
焦調諸氣○東垣曰治客寒犯胃和中益氣及攝涎唾
○本草約言曰江云止嘔吐而清小便○胡氏濟陰方
曰與人參同治崩血太衝或吐血盈盆者○危氏方曰
治氣脫而腹脹忽瀉日夜不止諸藥不效者○藏器曰

與炒塩同治夜小便多者○　啓益常用此方加萆薢有効○完素曰辛熱能開發鬱結使氣宣通○好古曰本脾經藥主君相二火故益脾胃理元氣補腎虚滑瀝在集香丸則入肺在四君子則入脾在鳳髓丹則入腎三藏互用者益有子母相關之義當于補藥中兼用之勿多服○時珍曰大辛行陽退陰之藥也三焦命門氣弱者宜之按楊士瀛謂心者脾之母進食不止於和脾火能生土當使心藥入脾胃藥中庶幾相得故古人進食必用益智爲其于土中益火故耳○薛己曰本草主遺

精餘瀝是益腎之虛寒也若腎經相火動而致遺瀝等候禁用又補元氣虛寒君相二火之不益也若心經與三焦火動者用之反耗元氣又脾家有濕熱痰火不當用至若能調諸氣是辛以散肺經之寒氣而肺熱者禁之○仲淳曰嘔吐由於熱而不因於寒氣逆由於怒不由於虛法宜忌之

嘉謨曰去殼取仁研碎入藥○本草徵要曰鹽水拌炒

○啓益按先和殼慢火炒去薄膜作末用

白豆蔻　開寶本草

開寳曰辛大温無毒○薛己曰苦辛○蘇恭曰氣味俱薄○好古曰大辛熱味薄氣厚輕清升陽也浮也入手太陰

開寳曰治積冷氣止吐逆反胃消穀下氣○東垣曰寛膈進食去白睛翳膜○好古曰收脱氣○楊士瀛曰治脾虚瘧疾寒熱能消能磨流行三焦營衛一轉諸症自平○時珍曰治膈噎酒毒○嘉謨曰益膈上元陽郤痛積膨○危亦林曰與砂仁草同治小兒胃寒吐乳者

○蘇恭曰其用有五專入肺經本藥一也散膈中滞氣

二也去感寒腹痛三也溫暖脾胃四也治赤眼暴發去太陽經目內大眥紅筋用少許五也○薛己曰主冷氣吐逆消穀下氣皆辛溫去寒之力也去白睛翳乃肺氣虛寒故耳若紅膜不宜用胃火上炎而嘔者及肺熱者禁用○仲淳曰因熱腹痛者禁用○薛己曰白入肺自有清高之氣若草豆蔻則專入脾胃而其氣味又燥烈於白者虛弱人止宜用白為良○本草新編曰砂仁宜用之于補藥丸中而白豆蔻宜用于補劑湯內蓋砂仁性緩而白豆蔻性急也

時珍曰凡使去皮微炒用
本草新編曰鋪家多以草豆蔻充之所以用多不効總
之必須白者為佳正不必問真假也

草豆蔻 別録上品

別録曰辛温濇無毒○好古曰大辛熱陽也浮也入足
太陰陽明○李中梓曰入手太陰○李珣曰味近苦而
有甘
別録曰温中心腹痛嘔吐去口臭氣○開寶曰下氣止
霍亂一切冷氣消酒毒○東垣曰治風寒之邪在胃口

當心作痛者調中補胃消食○時珍曰治傷暑吐下洩
痢噎膈反胃痞滿吐酸痰飲積聚婦人惡阻○嘉謨曰
逐客忤邪傷○千金方曰與木瓜生薑同治心腹脹滿
短氣者○肘后方曰與細辛同含之香口辟臭○丹溪
曰散滯氣消膈痰若明知身受寒邪口食寒物胃脘作
痛方可温散用之如鼓應桴或濕痰鬱結成病者亦効
若熱鬱者不可用恐積温成熱也必用梔子之劑○宗
奭曰極辛微香性温而調散冷氣甚速○薛已曰虚弱
不能飲食者宜之恐不如白豆蔻爲良○仲淳曰屬暑

氣濕者咸不可用○本草徵要曰辛燥犯血陰不足者
遠之

啓益按古人知草豆蔻而未知草果說其形狀者即草
豆蔻而非草果宋已來之方書間見有草果二物種類
相同猶有羌獨活之異如李時珍徐春甫雖有土地形
狀之辨為一物而混淆主治如陳嘉謨薛立齊立草果
之一條以分別主治此說固是故今以草豆蔻立為本
條後附草果

草果

嘉謨曰味辛氣温升也陽也無毒○薛己曰可升可降
入足陽明太陰
嘉謨曰消宿食立除脹滿去邪氣且卻冷痰同縮砂温
中焦佐常山截疫瘧辟山嵐瘴氣止霍亂惡心○薛己
曰同青皮泄肝邪○時珍曰或云與知母同用治瘴瘧
寒熱取其一陰一陽無偏勝之害蓋草果治太陰獨勝
之寒知母治陽明獨勝之火○啓益按弘景言辛烈甚
香可常食時珍言南地卑下山嵐瘴烟飲啖酸鹹脾胃
常多寒鬱滯之病故食料必用且殺魚肉毒然過多亦

能助脾熱傷肺損目濟世方云平胃散治久瘧自汗
醫方大成云同熱附子薑棗治脾寒瘧大便泄而小便
多不能食者百一選方云同呉茱萸胡盧巴治脾腎不
足衛生寳鑑云同乳香治赤白帶下直指方云獨用治
脾痛脹滿仲淳言本是祛寒破滯消食除瘴之藥凡瘧
不由於瘴氣心痛脾疼由於火而不由寒屬暑氣濕熱
者不當用以上主治雜入于豆蔻之條悉皆草果之功
能而非豆蔻之功能故採攗其大槩以備參考而耳○
嘉謨曰草果本經原未載名今考方書補其遺缺但性

辛烈過甚凢合諸藥同煎氣獨薰鼻則可知矣雖專消導大耗元陽老弱嬰兒虛羸産後切宜戒之○啓益按豆蔻草果氣味功能大抵相同惟草果比豆蔻則辛烈過甚李中梓所謂草果性烈氣猛而濁如仲由未見孔子時氣象蓋能知其性者也

時珍曰今人惟以麪褁煻火煨熟去皮用之

藥籠本草卷之中本

特1
1916